迪特·拉姆斯
作品全集

The
Complete
Works

〔德〕迪特·拉姆斯
〔德〕克劳斯·克莱姆 著

杨继梅 译

北京科学技术出版社

Dieter
Rams

著作权合同登记号　图字：01-2021-5579

图书在版编目（CIP）数据

迪特·拉姆斯作品全集 /（德）迪特·拉姆斯，
（德）克劳斯·克莱姆著；杨继梅译. —北京：北京科
学技术出版社，2022.6（2024.9 重印）
　书名原文：Dieter Rams: The Complete Works
　ISBN 978-7-5714-1914-1

　Ⅰ. ①迪⋯　Ⅱ. ①迪⋯ ②克⋯ ③杨⋯　Ⅲ. ①工业
设计-作品集-德国-现代　Ⅳ. ①TB47

中国版本图书馆CIP数据核字（2021）第209217号

策划编辑：李　菲
责任编辑：李　菲
责任校对：贾　荣
责任印制：李　茗
图文制作：北京锋尚制版有限公司
出 版 人：曾庆宇
出版发行：北京科学技术出版社
社　　址：北京西直门南大街16号
邮政编码：100035
电话传真：0086-10-66161951（总编室）　0086-10-66113227（发行部）
电子信箱：bjkj@bjkjpress.com
网　　址：www.bkydw.cn
印　　刷：北京华联印刷有限公司
开　　本：889 mm × 1194 mm　1/16
字　　数：450 千字
印　　张：21.25
版　　次：2022年6月第1版
印　　次：2024年9月第2次印刷
ISBN 978-7-5714-1914-1

定　　价：399.00元

献给乌尔里克（Ulrike）和保拉（Paula）

目　　录

前　言

设计是一个过程，而工业设计更是团队合作的过程。我很幸运在我的一生中，无论是在博朗（Braun）公司和维瑟（Vitsœ）公司，还是在数不清的会议和聚会中，都能遇到许多杰出人士，并与他们一起工作。因此，我有机会和大量的杰出人士进行很多有启发性的对话。我一直都非常珍视这种全球性的思想碰撞与交流，因为只有通过这种国际性的对话与合作，我们才有可能明智地建造我们的未来世界。此外，我从不与任何形式的民族主义扯上关系，我认为所有人都拥有不同的优良素质，我们的目标必须是建设性地把它们融合在一起。

设计不仅是关于我们物质世界的形式设计，即我们的"物品的世界"的设计，设计还决定着每个人的生活，以及我们如何与他人相处。设计可以促进社会团结，但也可以破坏社会团结，因此设计师承担了重大的责任。只要看看我们在过去

150年里设计的所有东西，如电话、汽车、收音机、电视、电脑和智能手机，就能深刻体会到这一点。马歇尔·麦克卢汉（Marshall McLuhan）说的"媒介即是信息"是对的，因为媒介既扩展又限制了我们行为的可能性。

但我认为关键问题是如何把这些扩展性设计出来。同时，你也不必惊讶，在扩展的同时也要保持一定程度的克制。

几年前，我提出了一系列关于工业产品设计的问题。例如，我们应该扪心自问，我们正在设计的产品是否真的必需？或者，是不是已经有一些产品能够"很好"地完成这项工作了？如果不是"更好"的话，是不是已经"够好"了呢？它是真的有助于丰富我们的生活，还是仅满足了那些对地位和名利的追逐欲望呢？它是可以修理的吗？它是耐用的吗？它

使用起来是方便灵活的吗？我能够轻松掌控新产品，还是被它控制了？

上面的最后一个问题，我认为是与今天的时代紧密相关的一个主题。在我60年的设计师生涯中，通过与各个公司和终端用户的接触，我获得的根本领悟是一个简单的观点："更少，但要更好。"

我们应该用更少的东西，但要用更好的东西。这不是一种约束，而是一种优势，它让我们有更多的空间去真正地生活。我的"好设计的十项原则"也一样，它们不是戒律，而是促使我们不断深入思考的一些友善建议。

我们应该把自己从繁杂事务中解放出来。在我看来，对秩序的渴望——追求简单、冷静、克制、寿命更长、更美观、更有用的形式——比不断尝试去发明新的东西重要得多。然而，好的设计并不是只通过满足需求来实现的。好的日常设计应该永远能不言自明。一个日常设计很少能成为一个好的设计，但当该设计成功时，像这样的特别产品对于我们整个环境的设计提升是一种必要的激励，更是未来设计的基准。

我一直坚信，好的设计是属于整个公司的，而不属于某个设计师。这些年来，我的这个信念变得更加坚定。从一开始，我的工作就是专注于产品的功能，从最广大的意义上说，也就是专注于产品的"使用"。

在当代，"功能"一词涵盖的范围有了极大的扩展，我们也了解到了一个产品的功能是多么的复杂。今天，我们清楚地认识到我们所做的东西也需要具有心理的、生态的和社会的效用。因此，功能性就拥有了很多不同的应用场景。而且据我观察，这种情况不可避免。

我寄希望于年轻一代，希望他们能充分意识到所有这些问题，而不只是关心个人利益和公司最大利益。改变未来从来都不是一件容易的事，而今天则变得更难了。

我确信设计必须有一套伦理标准。是时候该认识到我们已经又一次来到了迷茫与武断这个阶段的尽头。在此之前，一切似乎都有可能，我们可以做任何我们想做的事，而"我"是先于"我们"而出现的。但现在，我们必须改变我们以往的路线，否则走老路所引发的灾难会迫使我们不得不做出改变。

"更少，但要更好"意味着我们必须远离浪费的不良义化。这不仅是指远离字面意义上的低廉品，还指远离比喻意义上的低廉品。这意味着我们需要更多可以真正满足购买者和用户期望的东西——可以促进、改善和加强我们生活品质的产品。

我们未来的任务如下。

我们需要：

在生产和使用时会浪费资源且对环境造成危害的产品越来越少。

只刺激购买欲望，但几乎很少使用，很快就被搁置或扔掉，然后再去换新的产品越来越少。

时尚流行的，一旦潮流改变就很快过时的产品越来越少。

容易损坏、磨损和过早老化的产品越来越少。

取而代之的是我们需要越来越多的真正值得购买者和用户期待的产品，即可以促进、改善和加强我们生活的产品。

我相信，设计最重要的责任之一——也许是对社会最重要的责任——就是帮助缓解现在被迫面对的生活中的混乱状态。

请允许我引用一位奥匈帝国哲学家卡尔·波普尔（Karl Popper）的话作为结束语：

"既然我们永远不可能确切地知道任何事，那么去寻找确定性是根本不值得的，而寻找真相是非常值得的。我们这样做主要是为了找出错误，以便改正。"

我要感谢所有为本书的作品分类目录编撰做出贡献的人。感谢作者克劳斯·克莱姆，同时感谢所有其他参与者，特别是布丽特·西彭科恩（Britte Siepenkothen）和出版商埃米莉娅·特拉尼（Emilia Terragni）。

迪特·拉姆斯

工业设计师迪特·拉姆斯的作品分类目录

本书按照时间顺序介绍了工业设计师迪特·拉姆斯1947—2020年的产品和设计作品。作为分类目录全集，本书通过一件件独立的设计作品展现出了拉姆斯独有的设计特色。书中收录了大量拉姆斯自己设计的产品。本书还精选了一些由博朗设计团队中其他成员设计的产品，这些产品或是在拉姆斯的监督下创作的，或是由拉姆斯直接参与设计的。如果我们以1955年出版的由乔·克拉特（Jo Klatt）和甘特·斯塔弗勒（Günter Staeffler）合著的《博朗设计合集——40年的博朗设计（1955—1995）》[1]为起点计算，博朗公司40年设计的总计1272件产品之中，由拉姆斯设计的产品就有514件。

这里面也包括了大量仅仅调整了技术层面因素的产品。而有意义的是，这些产品的设计形式本身没有大的改变，或者只是稍作了改动。在博朗公司，只有在实现了真正的创新之后，产品的设计形式才会发生彻底改变。这种产品实践也反映了拉姆斯和博朗公司的一个共同的基本信念，即技术层面的改进并不自动表示要求设计上的更新。因此，许多博朗电器的产品设计生命周期是非常长的。

这与通常的商业惯例形成了鲜明对比，也就是与那种把旧的或几乎没有技术改进的产品改头换面后重新推向市场，以刺激消费的做法是截然不同的。因此，本书中只呈现真正的新设计的产品。同样的，本书中所呈现的拉姆斯在维瑟公司的设计产品，也适用于这个规则。目前，该家具公司还在销售1960年和1962年首次发布的、且此后几乎设计上没有什么变化的家具产品。

本书的作品目录全集多为拉姆斯为博朗公司和维瑟公司设计

的产品，当然这些作品也是他设计工作的主要内容。

拉姆斯在博朗公司工作期间被允许可以不来公司坐班，这使他在某种程度上成为一名自由职业者。维瑟公司的创始人尼尔斯·维瑟（Niels Vitsoe，1913—1995）先生一直都是拉姆斯的客户，拉姆斯与他保持着密切和友好的关系。除此之外，拉姆斯的其他外部设计项目非常少。尽管如此，这些外部项目对于拉姆斯的职业生涯仍然很重要，如他与德国门窗配件制造商福适博公司（FSB）的合作项目等。

在本书的分类目录编辑过程中，我们与拉姆斯经过多次深入讨论，最终确定并收录了227件作品。此外，在书中有50件博朗公司的产品，虽然拉姆斯的名字只是以主要设计师或独立设计师的身份列在创作团队名单中，但拉姆斯对这些产品是具有直接影响的。比如，他在弗洛里安·塞弗特（Florian Seiffert）设计的"mach 2"型号打火机按钮上巧妙地添加了一个俏皮的翘尾（第185页）。虽然后面这一类合作的产品也是按照时间顺序包含在对应的分类目录中，但我们可以通过书籍中整页的灰色背景来识别它。

从1956年春天到1995年，也就是在拉姆斯离开博朗公司的两年前，他一直是博朗公司设计部的负责人。这个部门最初由3人组成的，包括格德·穆勒（Gerd A. Müller）和罗兰·魏根德（Roland Weigend）。到了20世纪60年代，这个团队发展到了15名成员。拉姆斯是团队的头儿，而"头儿"这个词在这里可是实实在在的，因为拉姆斯算得上是博朗公司最具代表性的设计师了，而且他在职业生涯的早期就思考了自己作品的意义。拉姆斯在博朗公司的设计实践中充分体现了他的3个基本品质：第一，他是工作效率最高的设计师；第二，他是一个优秀的团队领导者，若不是他富有毅力且善于沟通，那么博朗公司强大的设计理念就不会得到如此充分的贯彻，而这一点是不容小觑的；第三，他对产品设计的深思熟虑和精益求精。

20世纪70年代，拉姆斯成为一名设计理论家。他非常反对大规模的过度消费，并强调这种行为造成环境破坏。拉姆斯在大量的出版物和世界各地的巡回讲座中都积极传达着这个价值观。

博朗公司的总部在法兰克福郊外的克伦伯格（Kronberg），经过创新发展，很快就成为设计界的全球领军者。到了20世纪60年代，拉姆斯日常生活的一部分就是拜访位于波士顿的吉列（Gillette）公司，去美国、加拿大、墨西哥、印度、日本，甚至古巴等地参加会议和讲座。特别是日本的企业合伙人制度及其深远的东方文化，为拉姆斯提供了新的视野和感受。毋庸置疑，人们是受周围环境影响的，因此，拉姆斯也受到了许多国际交往的影响。例如，当时日本最重要的工业设计师荣久庵宪司（Kenji Ekuan，1929—2015）就是与他志同道合的朋友。

尽管拉姆斯并不像传闻中那样是带有神力的"设计之神"——他在亚洲地区经常被这样夸赞，但他绝对是一名出类拔萃的设计师，而不只是15位博朗公司设计师之一。在我看来，拉姆斯和德国建筑师兼设计师彼得·贝伦斯（Peter Behrens，1868—1940）都是20世纪德国最重要、最具影响力的工业设计师。这里有必要强调"工业"一词，因为它涉及了日常用品。正如《迪特·拉姆斯：尽可能少的设计》（Dieter Rams: As Little Design，2011）一书的作者索菲·洛弗尔（Sophie Lovell）曾经恰当地描述的那样，拉姆斯是"设计师的设计师"。然而，不容忽视的是，博朗公司的拉姆斯团队对他的个人发展和对博朗公司的整体发展的确也发挥了重要作用。同时，他手下的实习生和临时雇员也值得一提，其中大多数人都是他在汉堡美术大学（Hochschule für bildende Künste）任教期间的毕业生。1981—1997年，拉姆斯曾经在那里担任过工业设计系教授。同时，拉姆斯也一再强调团队合作在设计过程中的重要性。

设计师的自我认识

1932年，迪特·拉姆斯出生于威斯巴登（Wiesbaden），他的价值观绝不是那种只顾拼命推销廉价物品的推销员式的。他总是从物品的审美品质、视觉和立体特征出发来评判设计，他非常理解设计的创造性和长久生命力对于产品的重要性。这可能源于他经常提到的他对祖父的钦佩，他的祖父是一位精通手工抛光家具技术的木匠。或者，他是受他在威斯巴登应用艺术学院（Werkkunstschule Wiesbaden）的教导主任汉斯·索德（Hans Soeder，1891—1962）的影响。汉斯曾经是德国著名的建筑师群体"环社（Der Ring）"[2]中的一员，他向拉姆斯介绍了20世纪20年代德国现代主义运动的原则，并呼吁设计行业要遵循社会道德责任准则。同时，拉姆斯在位于法兰克福的奥托·阿佩尔（Otto Apel，1906—1966）建筑事务所短暂工作过，这也可能对他产生了影响。正是在这里，他与美国著名的SOM（Skidmore, Owings & Merrill）建筑设计事务所合作，而这家事务所又受到了路德维希·密斯·凡·德罗（Ludwig Mies van der Rohe，1886—1969）作品的强烈影响。

因此，当拉姆斯在1955年7月来到博朗公司时，并不像有些传闻所说的那样是一无所知，只会简单地执行乌尔姆设计学院（Hochschule für Gestaltung, Ulm）的指导原则。要知道，那时这位23岁的年轻人对于设计已经有了自己的认知，而这种认知在乌尔姆设计学院的经历中获得了进一步提升。事实上，拉姆斯的个人探索与乌尔姆设计学院的教导是一致的。

大约在1980年，也就是在拉姆斯做了25年工业设计师之后，他对自我形象的认知表述如下：

> 据我的理解，设计师既是文明的批评家、技术的批评家，也是社会的批评家。但是，与当今社会上的许多批评家相比，有些人具有使命感，而有些人则没有。设计师绝不能仅止于批评，他们必须不断尝试创造出新的东西，在批评的基础上探索创新，并且也要经得起批评。

> 一把剃须刀或一把椅子、一架胶卷相机或一个货架，在其构造和设计中应该具有工具的实用性。它们应该帮助人们解决各种问题。它们应该帮助人们发挥自身的创造力。它们应该和人们一起生活，并与人们成为朋友。……作为一名设计师，只要你还活着，你就不能停止思索。[3]

值得注意的是，除了批判性实证主义方法之外，拉姆斯在这里还谈到了与产品的情感联系，而这正是当时后现代批评家武断地指责他所缺乏的素质。在这篇1980年的演讲稿中，拉姆斯还提到了设计的综合方法，空间和物品对人的影响，日益增长的浪费对自然的破坏，以及富裕国家的物质过剩和发展中国家的极度贫困之间明显的不公平情况。

博朗公司和维瑟公司

在博朗公司工作期间，拉姆斯对设计的理解得到了进一步发展。该公司在20世纪50年代中期的特殊建制为拉姆斯的设计实践奠定了基础，并提供了发展平台。1951年，博朗公司的创始人马克斯·博朗（Max Braun）英年早逝后，欧文·博朗（Erwin Braun, 1921—1992）接管了公司的商业运营，而他的弟弟阿图尔·博朗（Artur Braun, 1925—2013）则负责技术和工程部。欧文从根本上致力于创造一种新的企业文化。这种文化包括了对员工福利和公众参与的新的社会理解，涉及从医疗服务到公司幼儿园和员工奖金等各个方面。而且，它还包括了对产品的新的理解。关于产品方面，这种新文化所倡导提供的并不是为了给人留下深刻印象的产品，而是更加自然和克制的产品。博朗公司在广告宣传中将其称为"我们这个时代的风格"。

这种对新社会和新个体的"当代形式"的追求，明显地反映出了20世纪占主导地位的设计语言。它从20世纪末的"工艺美术运动"和"新艺术运动"开始，一直延续到了20世纪初的"现代主义运动"。

为了实现这一愿景，博朗公司专门找公司外的设计师进行产品设计。首先是1954年聘请了威廉·瓦根菲尔德（Wilhelm Wagenfeld, 1900—1990），然后是1956年聘请的赫伯特·赫什（Herbert Hirche, 1910—2002），不过他们都没能成功地实现真正颠覆性的新设计。而博朗公司与乌尔姆设计学院建立的合作伙伴关系则成为该公司于1955年早期开始推进设计革命的最初和最大助力。双方的合作伙伴关系是由乌尔姆设计学院的联合创始人奥托·艾舍（Otl Aicher, 1922—1991）和讲师汉斯·古格洛特（Hans Gugelot, 1920—1965）共同主导的。但是，乌尔姆设计学院和法兰克福之间的距离带来了一个问题。由于距离较远，所以乌尔姆设计学院的设计师每两个月左右才去一次法兰克福，并向公司董事会介绍他们的设计，与博朗公司的技术人员和工程师很少沟通，造成了阻碍创新的局面。欧文和阿图尔两兄弟，以及设计专员弗里茨·艾希勒（Fritz Eichler, 1911—1991）很快就意识到公司需要成立一个内部设计部门。因此，博朗公司最终以拉姆斯为核心建立了一个小型设计团队，而乌尔姆设计学院则主要作为咨询机构提供建议。[4]

归根结底，新设计是无法在一座缩回到象牙塔中的设计学院中实现的，就像与乌尔姆设计学院之前的合作经历一样。新设计必须与真实的世界接触，而德国的法兰克福在当时是个还不算糟的地方。随着20世纪20年代德国现代主义运动的兴起，建筑师恩斯特·梅（Ernst May）的"新法兰克福"住房和设计方案对这座城市产生了尤其重要的影响。虽然纳粹政权对该城市造成了灾难性的破坏，并导致了大量进步设计师的流失。但是，法兰克福却成功地挽救了在第二次世界大战前曾经一度繁荣的爵士乐环境。

当时，几乎所有的美国爵士乐巨星都会在这座城市的节日期间表演，还有著名的爵士乐俱乐部（Jazz Kelle）的即兴演出，而拉姆斯更是这里的常客。在城市氛围方面，这里的爵士乐环境构成了博朗公司先锋团队的生活和价值观的重要背景，也象征着一个新时代的开始。而同一时期流行的美国"比波普（Bebop）"爵士乐则又带来了一种新的生活态度。

博朗公司通过探索采取新的设计、明智的商业政策、新的营销战略、创新的技术方法、成功并购和设立国外子公司等一系列战略措施，使公司自1951年马克斯·博朗去世后，直到1967年出售给吉列公司为止，始终保持着强劲的繁荣发展势头。在此期间，公司的年营业额从1400万德国马克增长到了2.76亿德国马克，雇员数量从800人增长到了5700人。[5]1962年，博朗公司接手了西班牙家用电器制造商皮默（Pimer）公司，并以"博朗·埃斯帕尼奥拉（Braun Española）"的品牌名称向西班牙市场供应家电产品，其中一些产品是专为西班牙人设计的。但这些产品的设计仍由德国团队负责。

但关于"到底由谁来最终决定要生产什么和不生产什么"这个问题，拉姆斯在1977年的一次演讲中描述了他的经验：

> 由谁来决定设计呢？……指望一家公司把决定权单独交给设计师是不现实的。……如果让设计师承担影响整个公司的决定，那也是不公平的。……公司的管理层必须能够依靠其员工的专业知识，这些员工包括工程师、销售人员和设计师！管理层绝不可以将这三方中的任何一方降低为纯粹的听命者。……然而，管理层也不能让这些专家独自做出决定。

> 在我看来，现实情况是设计师在很大程度上已经准备好了某个决策，从而极大地限制了设计决策的回旋空间。……而管理层由于不会使用绘图板或者不会自己创建模型，所以只能接受、影响或拒绝设计师的提案。坦白地讲，我必须承认有许多好的设计就这样半途而废了……，但我也必须承认，针对这个问题，我基本上认为也没有任何其他靠谱的解决办法。当然，理想的情况是由公司的最高管理层以专业而称职的方式做出关于设计的决策，这样对公司和设计师都有好处。[6]

这么多年来，拉姆斯制定了一个设计方案汇报战略，即只向决策委员会提交最终设计方案。他尽量避免向决策层提交未确定的中期方案，以免引起他们对半成品的担忧，并将这种担忧蔓延到最终的设计成品上。

拉姆斯在维瑟公司的工作几乎与他在博朗公司的工作同时开始。拉姆斯最初于1955年7月被博朗公司聘为室内设计师，主要负责位于吕瑟尔斯海姆（Rüsselsheimer）大街博朗公司总部大楼的办公室和客用公寓的装修。他在1955年为博朗公司总部展销厅设计的手绘方案图被保留了下来（第20—21页）。在

同一时期，他还为自己的公寓和同事玛琳·施奈德（Marlene Schneyder）的公寓设计了家具（第26页）。1956年年初，拉姆斯结识了奥托·扎普夫（Otto Zapf, 1931—2018），后者住在距法兰克福不远的埃施博恩市（Eschborn），他是一名橱柜制作兼家具经销商的儿子。当时，扎普夫是法兰克福大学的物理系学生，但他也有一些家具制作经验，曾与建筑师罗尔夫·施密特（Rolf Schmidt, 1930—）合作过一些项目。扎普夫最初对是否要接管父亲的公司有些犹豫不决，但最终还是下定了决心，并于1956年创立了RZ家具公司，打算生产由拉姆斯及其他人设计的产品。RZ 57系列型号的家具产品（第27—29页）就是在他们合作的早期阶段由拉姆斯开发设计的产品。

RZ 57系列型号的家具产品是一款模块化家具系统，用户可以自由组装出许多不同的家具类型，包括桌子、床、搁架和橱柜，还可以组合在一起形成一套集成的家具。然而，由于当时RZ家具公司木工车间的制造能力有限，因此制造这套家具系统非常难。一直等到1958年丹麦的家具经销商尼尔斯·维瑟加入了该公司，并迅速扩大了产品的生产和销售能力之后，这一情况才很快发生了变化。1961年5月1日，原公司更名为"维瑟与扎普夫伙伴公司（Vitsoe+Zapf）"。凭借与维瑟先生的关系，拉姆斯在附近的凯尔克海姆市（Kelkheim）找到了一个合作伙伴，即里克特（Richter）家具厂，该厂可以生产RZ 57系列产品。事实上，拉姆斯在24岁的时候就能够抓住这样的机会，并主动承担起额外的责任，这是相当了不起的品质。特别是当他在博朗公司的工作变得越来越忙碌时候，还愿意付出更多的时间和精力，这更显得难能可贵。不过，这也让他在精神和物质上都具有了一定程度的独立性，并且最终两家公司也都能从中受益。

维瑟与扎普夫伙伴公司的设计过程比博朗公司更具个性化和直接。这里不要求设计师向决策层汇报方案，恰恰相反，尼尔斯·维瑟总是愿意为产品设计提供参考意见。这是一个类似朋友合作的设计过程，甚至经常还会邀请拉姆斯的妻子——摄影师英格博格·克拉赫特-拉姆斯（Ingeborg Kracht-Rams）加入。尽管如此，拉姆斯在这家公司中的设计方法与他在博朗公司采用的方法相一致：要设计出功能实用的、美观的、低调的、有技术创新的，以及视觉上不会过时的东西。他的606通用搁架产品系统（第65—69页）正是体现这种一致性和设计理念的完美例子。这套产品系统自1960年以来一直在生产，多年来不断进行产品升级和完善，但其设计的基本原则是要求所有的产品新修改都必须要与现有的产品系统兼容。

目前，这套606产品系统的全球生产与销售业务由马克·亚当斯（Mark Adams）负责。马克·亚当斯是维瑟公司英国分公司的董事、总经理。自1985年以来，他成功地在英国开辟了维瑟产品的销售市场，并在尼尔斯·维瑟退休后于1995年接管了这套产品系统的生产。

1969年10月17日，奥托·扎普夫离开了合伙公司，他之后在美国从事家具设计工作，主要为诺尔国际（Knoll International）公司工作。因此，维瑟与扎普夫伙伴公司就变成了单纯的维瑟公司。因此，这时独自运营的维瑟公司就需要向市场展示一个全新的公司形象。这项任务便落到了平面设计师沃尔夫冈·施密特（Wolfgang Schmidt，1929—1995）的肩上，他在20多年的时间里一直积极致力定义该公司的企业形象。1970年，他将该公司标志中的o和e结合起来，形成了"Vitsœ"中的"œ"，从而让人联想起法语单词"œuvre"（意思是一件艺术品）。近年来，施密特的许多其他图形作品都被维瑟公司重新赋予了活力并得到应用，而它们如今依然能够与这个公司的品牌完美契合。

设计与技术

拉姆斯一直以功能性为基础进行产品设计，所以他与工程师的密切合作就成了其设计实践的一个重要组成部分，拉姆斯经常参与产品的技术开发。博朗公司以拉姆斯的名义申请的大量设计专利和实用新型专利都证明了这一点。[7]其中，最早的一个设计专利是博朗公司于1959年以拉姆斯名义为LE 1扬声器（第55页）申请的专利。紧随其后的另一个设计专利是在1968年为T 2 cylindric桌面台式打火机（第149页）申请的专利，尽管该设计原本是为打火机的存储盒设计的，该存储盒兼具了打火机存储盒与烟灰缸两个功能。但直到1974年博朗公司发明了太阳能"energetic"打火机的原型机后（第208—209页），这款原创设计样式才得以首次露面。

拉姆斯是1971年开发的F1 mactron袖珍打火机（第184页）这款设计专利产品的主要发明人。这款打火机创造了新颖的点火机制，用户可以仅用单手就能操控开关点火。

1972年，HLD 4旅行吹风机（第172—173页）及其创新的吹风机构造设计同时在日本和美国获得了设计专利。在一年后的1973年1月31日，拉姆斯设计的audio 308紧凑型音响系统（第201页）上样式独特的调谐旋钮（带有两个手指凹槽）也被注册为设计专利。在使用这个调谐旋钮时，使用者只需要用一根手指就可以快速调整整个调谐范围，而第二个凹槽用

于做进一步微调。设备机身上凸起的调频刻度盘与调频旋钮罩壳的高度平齐，当使用者将手指从这个调谐旋钮上松开后就会自动停止调谐。

1979年，拉姆斯设计的L 100 auto车载扬声器（第223页）获得了设计专利，这个扬声器的框架由减震材料制成，可以防止乘客被磕碰而受伤。1980年，拉姆斯还凭借为博朗atelier音响系统配套扬声器（第283页）设计的金属网格组装机制获得了另一项专利。1984年，拉姆斯为吉列公司注册了它的第一项专利，即气体动力照明火把（第290页）的设计。而拉姆斯给这家美国公司带来的最大经济成功毫无疑问是Sensor系列剃须刀产品（第318—319页），1989年他和于尔根·格雷贝尔（Jürgen Greubel）为这款剃须刀设计了手柄，后来该产品的销量超过了1亿把。

最后一个值得一提的例子是拉姆斯于1969年获得的一项专利，它是在苏联注册的，是针对一款电动牙刷（第154页）的设计专利。这个国家和这个专利年份都是非常令人惊讶的，因为当时博朗公司除了在1963年开发了第一款Mayadent型电动牙刷之外，直到1978年才正式开始电动牙刷的生产。

与产品的技术发明专利相比，对整个产品外观设计的法律保护则是不同的。通常，博朗公司只申请注册自己的产品设计专利保护。然而，拉姆斯为维瑟公司设计的为620型椅子方案（第94—95页）也获得了外观设计的专利认证，这极为罕见。这是通过拉姆斯在与未经许可而抄袭仿造这款家具的德国FG设计公司进行了长达6年的法律纠纷之后，才终于使这款产品在1973年被德国最高法院授予了艺术版权保护。

根据当时的德国判例法，在这种情况下只有少数设计产品可以提出诉讼索赔。[8]

设计的周期

拉姆斯为博朗公司创作的大部分设计都是在产品投放市场前的1~2年内完成的。然而，根据现有的档案资料，我们只能追溯到少数产品的确切研发时间。因此，本书列出的发布时间总是指产品最早开始销售的日期。例如，SK 4组合唱机（第25页）从研发到投入生产只用了9个月，FA 3胶片摄影机（第114页）从开发到投入生产也同样用了不到一年的时间。但是，格德·穆勒在KM 3食物料理机上的开发设计工作（第35页）虽然始于1955年12月，却一直到1957年4月该产品才正式

出售才终止。而对于F1 mactron袖珍打火机来说，由于其结构系统复杂，我们必须假设它至少经过了三四年的开发时间。而1987年发布出售的信用卡大小的ST 1袖珍计算器（第310页）的外观样式，则是由迪特里希·卢布斯（Dietrich Lubs）在酒店房间里只用了一天时间设计出来的。

迪特·拉姆斯工作的4个阶段

回顾拉姆斯60多年的职业生涯，可以发现4个不同的阶段：

第一阶段始于1953年，那是拉姆斯从威斯巴登应用艺术学院毕业之后，在奥托·阿佩尔的建筑事务所工作的时期。他在那里一直工作到1955年，即工作到博朗公司的设计部门正式成立之前。这段时间是拉姆斯的培训期和学徒期。在这个阶段，他形成了自己的设计方法，并将其积极付诸实践。例如，拉姆斯在1956年设计了经典的SK 4唱机组合系统，而studio 2模块化高保真音响系统（第53页）、TP 1便携式收录机（第52页）和LE 1扬声器（第55页）等产品则都是在1959年发布的，这具有特殊的意义。

同一时期，拉姆斯还设计了RZ 57模块化家具系统。这款设计对于他的职业成长同样重要，并为他独特的设计实践奠定了基础。

第二阶段是从1959年到1975年左右，这是拉姆斯同时为博朗公司和维瑟公司创作大量产品的时期。哪怕是匆匆一瞥这本目录全集中的产品，也能够看出拉姆斯在这段时间中令人印象深刻的创作数量。

第三阶段是从1975年至1997年，也就是他离开博朗公司之后。在这段时间，拉姆斯的工作重点是教学。他在汉堡美术大学教书，担任德国设计委员会主席，参与设计评审，并与于尔根·格雷贝尔和迪特里希·卢布斯（Dietrich Lubs）合作设计，也会承接一些外部委托业务。

第四阶段是从1997年至今。这一时期，拉姆斯曾在科隆sdr+家具公司工作到2012年。该公司名称中的"sdr"是"Systemmöbel Dieter Rams"的缩写，意思是"迪特·拉姆斯的家具系统"。可见，它主要生产拉姆斯设计的家具，但也生产其他设计师设计的家具。而在本书的编写阶段，拉姆斯依然在为维瑟公司提供设计服务。此外，在此期间，拉姆斯还参与了很多访谈、讲座和展览活动，并发表了大量的论文、理论报告，并出版了图书。

设计特点

对于"拉姆斯是否具有明确的设计风格"这个问题，我们不能用简单的"是"或"否"来回答。1977年，拉姆斯将他的设计方法描述如下："首先，我们会致力研究理解一种新的、更好的、人们真正需要的产品，并且将会一直专注于这方面的探索。然后，我们才去研究它们的应用。而且，我们会不断地询问自己和其他人：它真的必须要像现在这个样子吗？"[9]

对拉姆斯而言，在设计中拥有一种态度总比拥有某一种风格更重要，这种态度就是一种以用户为导向的、理智的、合乎道德的和审美的态度。拉姆斯在他的"好设计的十项原则"中也阐述了这一点，这十项原则是他在20世纪70年代初就提出的关于设计的一系列建议。

这些设计原则是从拉姆斯的角度来评估一个好的设计是如何构成的，而这些建议至今仍能在年轻一代的设计师中引起共鸣。这里还要提到一个同样重要的内容，即拉姆斯的人生信条"更少，但要更好"，这是他对于设计变化的座右铭，这可能也是让每个人和生活的环境都能更好地可持续发展的关键。

然而，在拉姆斯的产品中也可以看到一些形式上的标准。作为一名具有建筑师潜力的工业设计师，拉姆斯会经常使用到直角、立方体和长方体等形状。然而，如果我们仔细观察就会发现这些基本形状往往会在细节上有所变化。例如，在LE 1扬声器（第55页）网格罩的轻微弯曲处，在domino set桌面台式打火机（第225页）非对称的圆形边缘上，以及通过使用色彩来增加一个对比元素，从而让暗淡低调的设计变得鲜活起来等巧思妙想上。如果说拉姆斯展示的是技术，那么它也是一种经过了精心设计的、舒适得体的技术。

另一个特点是拉姆斯的作品总是从全方位的角度进行设计的，甚至连那些通常可以隐藏起来的产品背面也有设计。他早在1957年就应用了这一原则，如他的RZ 57型号的家具产品模块化系统就可以组装成一个自由站立式的家具，全方位呈现，适合放在房间里的任何地方。这种整体化方法渗透于拉姆斯的整个设计实践生涯中。

拉姆斯设计工作的另一个核心元素是模块化原则，换句话说，也就是连接性。他设计的606通用搁架系统、620椅子方案和RZ 57系列产品都是灵活的模块化系统，都可以随着时间的推移，并根据用户的需要无限地进行重新组配、扩展和调整。从20世纪50年代末开始，拉姆斯为博朗设计的音频系统产品也是模块化的，可以用多种方式进行组合搭配。这种设计方法能获得成功是因为不同的组成部分看起来并不像是随机生硬地串在一起的单体元素。相反，它们的组合会展现出一种和谐的整体效果。

尽管拉姆斯在用色方面非常谨慎，但是色彩在他的设计中也占有重要作用。拉姆斯设计的电器设备并非如后现代时期一些评论家所评论的那样只有黑、白、灰的配色方案。实际上，拉姆斯也会运用色彩作为设备操控的标识，而且更重要的是这些色彩的运用会为产品带来极高的审美效果。拉姆斯在使用颜色时非常谨慎，但也正是这个原因，他所用的色彩才能产生如此大的视觉效果。红与绿之间的互补色对比方法在拉姆斯的产品中一次又一次地发挥了显著作用，但通常他只会在产品中选择应用一个简单的红点。事实上，他参与设计的博朗产品均采用了这种极简主义的色彩方案。

同样，拉姆斯在设备上使用的排版设计也是非常轻巧和克制的，而且这后来也成为经典的博朗风格。即使在拉姆斯最早的产品设计中，也是将字体和公司标志设计得非常小巧。然而，在这里必须要提到迪特里希·卢布斯，因为他加入博朗公司设计部后不久就成为所有产品标志设计的负责人。卢布斯一直使用的是无衬线（Akzidenz-Grotesk）字体，这种经典字体使博朗公司产品的设计观感能够长久不过时。

拉姆斯设计的最后一个核心特点，同时也是博朗设计的特点是简单直观的用户与产品间的交互设计。这一点可以追溯到1958年博朗公司推出的赫伯特·赫什设计的HF 1电视机，它只有一个可视的电源按钮。后来博朗公司对于产品的设计要求就是要做到用户不需要任何操作说明也能看懂。换句话说，就是一看即懂。这的确是一个巨大的挑战和成就，尤其是从21世纪初开始这条原则就一直激励着苹果公司朝着这个方向努力。对于拉姆斯来说，我们的日常用品都是特别的，而且一直都是特别的，是值得我们投入关注的，是需要改进的，如果可能的话也是需要减少的。对拉姆斯而言，设计并不是像这个消费主义世界诱导我们所相信的那样是一件显赫的和与众不同的事情。

"回到纯洁，回到简单！"这是他在"好设计的十项原则"中说的最后一句话。这也是关于新起点的一句座右铭。

致谢

走近一名设计师的最好方法就是通过他的作品来认识他。

因此，为了编撰本书，我们围绕着设计产品这个主题，与迪特·拉姆斯及他的朋友和同事们进行了广泛而深入的探讨。本书的出版目的是为了给设计史学家、收藏家、设计师、学生和其他任何对设计感兴趣的人提供一个灵感来源。对于这个机会，我首先要感谢迪特·拉姆斯，他不仅愿意提供所有可用的文件资料，而且还愿意通过多次讨论，让我们能够触及他多年来的经历。我还要感谢拉姆斯的妻子英格博格·克拉赫特-拉姆斯，她提供了她当年在博朗工作时拍摄的照片。感谢拉姆斯的经理人布里特·西彭科特恩（Britte Siepenkothen），他作为拉姆斯长期的知己好友，从一开始就为本书提供了许多重要的细节资料和有力支持。同时，也感谢迪特·拉姆斯和英格博格·拉姆斯基金会，它不仅通过其档案馆为本书提供了必要的资料，而且还为本书提供了资金支持。

这里还值得一提的是收藏家杂志《设计+设计》（Design+Design）的几名关键人物，即兼任主编和作者的乔·克拉特（Jo Klatt），以及其他两位作者居特·斯泰弗勒（Günter Staeffler）和哈特穆特·贾茨克·维冈（Hartmut Jatzke Wigand）。多年来，他们发表了大量关于迪特·拉姆斯设计的深入研究报道，这些成果已被收入本书中，并且他们还为本书的完成提供了各方面的帮助。感谢摄影师安德烈亚斯·库格尔（Andreas Kugel）尽心尽力为我们重新拍摄了书中所呈现的大部分物品，这些照片光线搭配适宜展示出良好的视觉效果。

特别感谢托马斯·古坦丁（Thomas Guttandin）提供了丰富的信息和建议，他是博朗收藏馆的常务董事，并兼任博朗档案馆馆长。

同时，也感谢他的前任馆长霍斯特·考普（Horst Kaupp），考普自20世纪50年代起就负责建立这座收藏馆。还要感谢日内瓦博朗公司的全球宣传主管佩特拉·斯托菲尔（Petra Stoffel），他慷慨地允许复制这些档案材料用于本书中。此外，我也要真挚地感谢皇家利明顿矿泉市维瑟公司档案馆的朱莉娅·舒尔茨（Julia Schulz），以及维瑟公司的总经理马克·亚当斯（Mark Adams）为本书做出的贡献。

感谢玛琳·施奈尔-施奈德（Dr Marlene Schnelle-Schneyder）博士，他热情地提供了关于博朗设计革命最初几年的详细信息。此外，我还感谢能有机会在2010年7月对阿图尔·博朗进行了采访。多年来，博朗设计团队的成员也都愿意为我们提供采访机会。我还要感谢拉姆斯档案馆的研究助理员何楚安（Hehn Chu-Ahn），她帮助我们找到了相关档案，并与我们进行了多次友好的交谈。我还要感谢法兰克福应用艺术博物馆的馆长马蒂亚斯·瓦格纳（Matthias Wagner K）教授，他对我调研该博物馆中的拉姆斯作品给予了大力支持。

但是，如果本书不能出版的话，所有这些工作又有什么意义呢？要知道，著名的图书出版商总是书籍最好的输出媒介。伦敦费顿（Phaidon）出版社的出版专员埃米利娅·特拉尼（Emilia Terragni）为本书提供了出版动力，并全程支持了本书的完成。罗宾·泰勒（Robyn Taylor）以非常高效的项目管理方式完美地完成了本书的编辑工作，而且最重要的贡献是她对本书进行了精心编辑，避免了书中许多不准确和错误的地方，对此我要特别感谢。最后，我还要感谢纽约奥德（Order）事务所的设计师杰西·里德（Jesse Reed）和胡安·阿兰达（Juan Aranda）为本书设计了美观的版式。

1　乔·克拉特和甘特·斯塔弗勒（Günter Staeffler）合著的《博朗设计合集：40年的博朗设计（1955—1995）》（*Braun+Design Collection: 40 Jahre Braun Design – 1955 bis 1995*），第二版（汉堡，1995年版）。

2　环社（1924—1933）是魏玛共和国时期倡导"新客观主义运动"的主要建筑师集体。环社的其他一些成员还包括彼得·贝伦斯（Peter Behrens）、沃尔特·格罗皮乌斯（Walter Gropius）、路德维希·密斯·凡·德罗、汉斯·波尔齐格（Hans Poelzig）和布鲁诺·托特（Bruno Taut）。

3　摘自迪特·拉姆斯的报告《变革时期的工业设计》（*Industriedesign in einer Zeit des Umbruchs*），这是他在1980年左右的一个讲座中的发言稿，收藏于德国美因河畔的法兰克福的拉姆斯档案馆，档案编码1.1.2.17。

4　"当在这里开发食物料理机的时候，情况基本上就非常明朗了，我们必须转变与乌尔姆设计学院的合作关系，要将它更多地转变为咨询机构，而不是直接参与实际工作的机构。"——摘自2010年7月23日，阿图尔·博朗在德国克尼茨坦接受的记者采访。

5　摘自《创造一个新开始的勇气：欧文·博朗 1921—1992》（*Hans Wichmann, Mut zum Aufbruch: Erwin Braun 1921—1992*）德文版，慕尼黑，1998年版，第140页。

6　迪特·拉姆斯在1977年2月18日发表的《工业设计是一项严肃的职责》（*Design ist eine verantwortliche Aufgabe der Industrie*），该文件收藏于德国法兰克福的拉姆斯档案馆，档案编号1.1.2.8。

7　这些专利的原件和副本的活页夹收藏在德国法兰克福的拉姆斯档案馆中关于迪特·拉姆斯的文档中。

8　例如，1926年的马特·斯特蒙（Mart Stam）设计的悬臂椅，或1963年弗里茨·哈勒（Fritz Haller）设计的以设计师名字命名的"USM Haller"模块化家具系统。根据德国法律，发明者死亡之后，其继承人有权再享有70年的合法专利权。

9　见迪特·拉姆斯的《工业设计是一项严肃的职责》（*Design ist eine verantwortliche Aufgabe der Industrie*）。

1947—1959

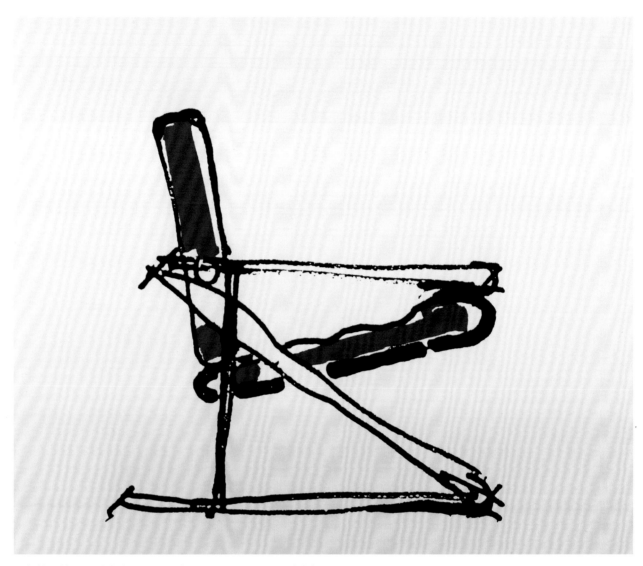

一款扶手椅的手绘方案图，1947年
迪特·拉姆斯

尺寸未知
使用黑色和红色的马克笔绘于纸上

迪特·拉姆斯现存最早的作品，是他在威斯巴登应用艺术学院学习时期设计的一把扶手椅。毋庸置疑，这把椅子的设计借鉴了20世纪20年代的现代设计风格，连接扶手和滑动底座的Z形框架会使人联想到与拉姆斯同一时代的设计大师马特·斯特蒙和马塞尔·布劳耶设计的悬臂椅。虽然这把扶手椅没有后腿，但却增加了一根细细的垂直支撑杆，从而增强了椅子的稳定性。该作品也表明了第一次世界大战前的现代主义风格当时在20世纪50年代的威斯巴登应用艺术学院中非常盛行。这幅20世纪70年代的手绘方案图是从一张1947年的技术图纸中复制而来的。

一款扶手椅的等比例模型（复原作品），15厘米 × 13.5厘米 × 13厘米　　　木质
约1952年　　　　　　　　　　　　　0.04千克
迪特·拉姆斯

该扶手椅的等比例模型是后来在拉姆斯
的监督下根据原始设计草图复原而来的。

博朗公司吕瑟尔斯海姆大街总部展销厅的手绘方案图，法兰克福，1955年
迪特·拉姆斯
博朗公司

29厘米 × 36.8厘米

使用墨水和彩铅笔绘于纸上

拉姆斯在博朗公司接到的第一个任务是为一个展销厅做室内设计。这张手绘方案图显示：他在这个展销厅中配备了诺尔国际公司的产品，并配置了汉斯·古格洛特（Hans Gugelot）在1955年为博朗公司设计的PK-G收音机和唱片机组合柜。展销厅的背景是一个类似于拉姆斯后来为维瑟与扎普夫伙伴公司设计的RZ 60搁架系统（第65—69页）。尽管该展销厅的设计方案没有实施，但其从地面到天花板的垂直落地玻璃隔断，以及大面积的空白墙壁都体现出了对一种简洁利落的设计风格的探索。可以说，这个设计特点在拉姆斯的职业生涯早期阶段就已经初露端倪了。

Exporter 2便携式收音机，1956年
迪特·拉姆斯，乌尔姆设计学院，
查利·鲁奇（Charly Ruch）
博朗公司

12厘米 × 17.5厘米 × 5.5厘米
0.9千克

塑料
79.50 德国马克

这款便携式真空管收音机是对博朗公司
早先设计产品的复制产品，只是在色彩
方面进行了一些调整。拉姆斯与乌尔姆
设计学院的设计师合作，对这款产品的
外观和调控旋钮进行了设计上的改变。
实际上这个产品的外壳与之前一样，因
此并没有产生新的材料成本。博朗公司
的平面设计师查利·鲁奇重新设计了机
身上的调频刻度标记。拉姆斯后来回忆
起这场戏剧性的设计变化时曾说："我
穿过院子来到油漆室，收音机外观上所
有的金色都消失不见了。"博朗兄弟也
惊讶地发现一个小小的设计调整竟然产
生了如此巨大的美观度差异。

PA 1自动幻灯片投影仪，1956年　　　21.3厘米 × 25厘米 × 18.5厘米　　　压铸的铝材、塑料
迪特·拉姆斯　　　　　　　　　　　4.2千克　　　　　　　　　　　　198 德国马克
博朗公司

PA 1投影仪是第一台完全由拉姆斯为博
朗公司设计的产品，并由此催生了一系
列新的产品。它的带网纹饰面的实心压
铸外壳使它从当时的市场领导者莱茨
（Leitz）公司生产的普拉多（Prado）投
影仪及众多其他制造商的同类产品中脱
颖而出。PA 1设备的配色方案由简约的
灰色、黑色和铬合金色组成，控制按钮
则使用了鲜明的红色。即便采用了这种
精致的色彩搭配方案，但是它仍然保留
了工业上的美感。投影仪播放时，幻灯
片是从弹仓中自动放上去的，也可以用
遥控方式来操控。为了搭配该系列产
品，博朗公司还专门开发了一个用于幻
灯片的托盘系统配件。

最终莱茨公司制造的托盘系统配件成
为全行业的标准配件。

同系列产品还包括PA 2（1957）。

SK 4单声道收音机-唱片机组合机的原型机，1956年
迪特·拉姆斯，格德·穆勒
博朗公司

尺寸和重量未知

木质、金属
未出售

这张来自德国克伦堡博朗档案馆的SK 4原型机照片展示了SK 4设备的早期设计情况。它是在拉姆斯的设计指导下，以及格德·穆勒的协助下完成的。与最终版本的设备相比，在这款原型机的设计中，SK 4设备的轻型矩形盒子是一个较高的样式（如图所示），而后来才变为了较短和较宽的样式。从原型机正面看到的水平槽口的位置和数量，以及控制装置的排列样式，与最终批量生产的成品设备的样式是一致的。在这款原型机的设计中，博朗公司的技术人员出于声学方面的考虑，最初为SK 4设备设计了一个木质框架，外面再用金属镶板加固。

这种外壳形式代表了德国收音机设计的一种新方法。在此之前，收音机几乎都只使用全木质或全塑料的外壳。但由于金属镶板被附着在离机身稍远的地方，并且在设备周围产生了水平和垂直的间隙，所以从视觉效果上看是一个不太令人满意的解决方案。对此，设计师汉斯·古格洛特建议更多使用金属材料，放弃以木质框架为主体构架的思路。最终的方案是机身两侧为木制侧板，在木质侧板之间则是一块弯折成四面体的金属板，这个外壳将所有设备部件都装在其中。尽管它的装配方式比表面上看起来复杂得多，但这种新的设计形式看起来更加令人喜欢和有吸引力。

SK 4单声道收音机-唱片机组合音响，
1956年
迪特·拉姆斯，汉斯·古格洛特
格德·穆勒，沃克斯塔特·瓦根菲尔德
（Werkstatt Wagenfeld）工作室，
拉尔夫·米歇尔（Ralph Michel），
赫尔穆特·沃内克（Helmut Warneke），
亨兹·普芬德（Heinz G. Pfaender）
博朗公司

24厘米 × 58.4厘米 × 29.4厘米

11.5千克
涂漆钢板、榆木、亚克力、塑料
295 德国马克

SK 4组合音响被认为是博朗公司设计的
一个重要转折点。这款音响设备因其亚
力克透明防尘罩的独特设计而又被称
为"白雪公主的棺材"。它是1955年底
在欧文·博朗和阿图尔·博朗两兄弟的
指示下开发的。拉姆斯设计了这台唱片
机和控件的原始架构和基本布局，而唱
片机的唱臂是由格德·穆勒设计的。后
来，这套组合机中的三速转速唱片机单
元被拆分出来，成为独立的PC 3产品而
单独发布（第30页）。PC 3产品是基于
沃克斯塔特·瓦根菲尔德工作室的设计
雏形开发出来的，这家工作室是由威
廉·瓦根菲尔德经营的一家外部工作

室。而在乌尔姆设计学院领导产品设计
项目的汉斯·古格洛特后来将拉姆斯最
初设计的金属贴面的木质外壳换成了两
边为木质侧板、中间为全金属板的外壳。

机身顶部的透明亚克力防尘罩是由博
朗公司后添加的，它是由拉姆斯与
特殊材料采购负责人黑根·格罗斯
（Hagen Gross）合作完成的，并由奥芬
巴赫市（Offenbach）的一家名为Opelit
Bootswerft & Kunststoff Gesellschaft的
公司制造，该公司此前曾为博朗公司展
示过其制作的亚克力产品。从1957年
起，这款音响产品设计升级为SK 4/1的
四速转速唱片机。

SK 4产品的销售起初并不景气，而收音
机经销商对这款产品的接受度也很有
限。然而，随着它在1957年柏林国际建
筑展（Interbau）上的亮相，这一切都
发生了改变，当时有60多台博朗收音机
和电视机出现在展会的样板间里。

随后在1957年7月的米兰三年展上，博
朗公司有多款产品都赢得了奖项，并被
媒体大量报道。在比利时布鲁塞尔第58
届世博会和1958—1959年在纽约现代
艺术博物馆举办的"博物馆收藏的20世
纪设计"主题展览中都将博朗的产品纳
入其中，从而使博朗产品的国际形象更
加强化了。自此以后，SK 4产品的销量
获得了大幅增长，总产量约为16000台。

同系列产品还包括SK 4/1和SK 4/1a（1957）、
SK 4/2（1958）。

玛琳·施奈德的书桌，约1956年　　　尺寸和重量未知　　　浅色榆木、白漆
迪特·拉姆斯　　　　　　　　　　　　　　　　　　　　　未出售
玛琳·施奈德

1955年，拉姆斯在负责吕瑟尔斯海姆大
街博朗总部展销厅（第20—21页）的室
内设计工作的同时还承担了个人的家具
设计项目，其中包括为他自己的公寓和
同事玛琳·施奈德的公寓设计的家具。
这张独一无二的长腿桌便属于该系列早
期作品。

569（RZ 57）长方形办公桌，
1956—1957年
迪特·拉姆斯
维瑟与扎普夫伙伴公司/维瑟公司/科隆
sdr+家具公司

多种尺寸和重量

层压木板、氧化拉丝铝材
596～660德国马克（自1973年起的价格）

20世纪20年代，随着德国魏玛包豪斯（Bauhaus）学院的建筑师瓦尔特·格罗皮乌斯（Walter Gropius）和法兰克福的建筑师弗兰茨·舒斯特（Franz Schuster）等人重要的早期作品问世，模块化家具首次出现在大众面前。在这个基础上，汉斯·古格洛特于1950年为苏黎世的Wohnbedarf AG家具公司设计了型号为M 125的家具系统。而拉姆斯也很快开发了自己的模块化家具作品，第一个作品是为总部位于埃斯伯恩的子公司扎普夫公司（不久后即成为了维瑟与扎普夫伙伴公司）设计的办公桌。

这张办公桌的桌面由两块层压木板构成，两块搁板上下分开放置，它们之间形成一个狭窄的抽屉格子。

这种双层搁板的设计稳定性更高，因为这样的结构可以让每根桌腿固定在两个不同的点位上。拉姆斯在这里使用了可见的黑色螺钉，从而突出了设计产品的安装工艺，同时也增强了它的功能性美感。这里展示的569和570型办公桌是后来成为RZ 57模块化系列产品的第一个单元。

拉姆斯最初由扎普夫公司创始人的儿子奥托·扎普夫（Otto Zapf）介绍给老扎普夫。奥托·扎普夫发掘了拉姆斯的才能，并想以此来拓展父亲的业务。而这次偶然的会面也促成了维瑟与扎普夫伙伴公司的成立，它是奥托·扎普夫和丹麦家具商尼尔斯·维瑟的合作公司，该公司成立于1959年，专门生产和销售拉姆斯设计的家具。

在这个早期阶段，建筑师罗尔夫·施密特（Rolf Schmidt）和平面设计师肯瑟·基泽（Günther Kieser）也是扎普夫公司的合作伙伴。新公司的成员都是借着对当代爵士乐的浓厚兴趣而紧密团结在一起的。

同系列产品还包括570型圆形办公桌（1956—1957）。

571 / 572（RZ 57）模块化家具组装系统，
1957年
迪特·拉姆斯
维瑟与扎普夫伙伴公司

（44－205）厘米 ×（57/114）厘米
多种重量

带有树脂的或天然山毛榉贴面的涂漆细
木工板、层压板、阳极氧化铝、塑料
18～138 德国马克

1957年，奥托·扎普夫在科隆家具展上第一次见到了丹麦家具商尼尔斯·维瑟。两年后，他们合作成立了维瑟与扎普夫伙伴公司，生产和销售由拉姆斯设计的家具，RZ 57模块化家具组装系统就是该公司生产的第一个产品系列。这套组合家具可以创建出各种可变的橱柜和搁板组合样式，并可以根据客户需要进行调整或扩展。它的基础构件由木制面板和作为连接件的隐形打孔金属条组成。每个家具单元的正面和背面都被设计成相互镜像的样式，因此组装好的家具可以以任意角度放在房间里，而不受家具正反面的限制。

拉姆斯描述了这套家具的多种潜在用途："客厅家具、餐具柜、半高橱柜、架子、带螺丝固定书写面的写字台、卧室家具、儿童家具、衣柜、床下储物抽屉、组合式房间和办公室家具、文件柜、工作台、带或不带门的架子。57厘米和114厘米的间隔宽度设计，也可以完美摆放博朗公司的高保真音响系统和扬声器设备。这套家具的大规模生产始于1959年。

1969年，奥托·扎普夫离开公司后，他的名字也被从公司品牌中删除了。

于是，平面设计师沃尔夫冈·施密特对剩下的"Vitsoe"做了一个小的排版设计改动，创造了我们今天所认识的"Vitsœ"标志。这一品牌字母的设计调整借鉴了法语单词"œuvre"中的字母，该法语单词是指一件艺术品。

573（RZ 57）床的设计，1957年
迪特·拉姆斯
维瑟与扎普夫伙伴公司

34厘米×200厘米×（90～173）厘米
多种重量

涂漆的木材、铝材
298～488德国马克（自1973年起的价格）

作为RZ 57家具系列的一部分，这张床
的设计与拉姆斯的569和570型办公桌
（第27页）的设计包含了相同的设计元
素，而这些元素在这里却展现出了另一
种不同的组合样式。床腿与两层床板框
架之间的连接方式为整张床提供了稳定
的支撑，而裸露的黑色螺丝则构成了其
外观上的视觉关键元素。

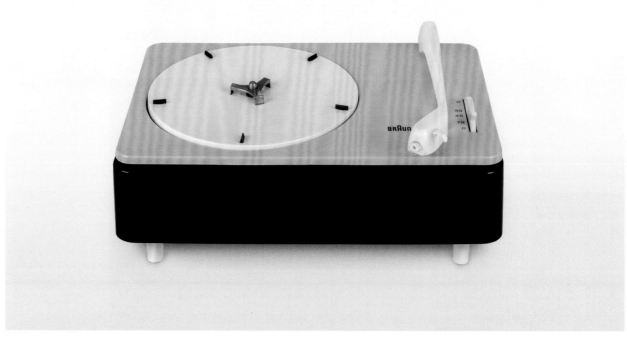

PC 3唱片机，1956年
迪特·拉姆斯，格德·穆勒，沃克斯塔
特·瓦根菲尔德工作室：拉尔夫·米歇
尔（Ralph Michel），赫尔穆特·沃内克，
亨兹·普芬德（Heinz G. Pfaender）
博朗公司

13厘米 × 30.8厘米 × 21厘米
2.5千克

金属、塑料
78 德国马克（PC 3 SV）

这款小型唱片机原本是SK 4收音机–唱
片机组合音响（第25页）中的一部分，
但后来也作为单独的音响设备出售。它
是在1956年2—9月开发的，最初由位
于斯图加特的沃克斯塔特·瓦根菲尔德
工作室设计，但该工作室始终无法找到
令人满意的形式。于是，这款设备的一
部分设计内容便被转交给位于法兰克福
的博朗工厂完成。在博朗工厂，唱片机
的基座部分被矫正拉直，唱臂也被重新
设计了。唱盘座部分的设计则被保留在
斯图加特的工作室中，因此其特有的橡
胶材质的、可伸缩的、中心星形式的唱
盘固定胶垫得以保留下来。与拉姆斯设
计的SK 4唱片原型机一样，这个PC 3唱
片机也有一组小短腿。

同系列产品还包括PC 3 SV（1959）。

Phonokoffer PC 3便携式唱片机，1956年
迪特·拉姆斯，格德·穆勒，沃克斯塔
特·瓦根菲尔德工作室：拉尔夫·米歇
尔，赫尔穆特·沃内克，亨兹·普芬德
博朗公司

13.5厘米 × 33厘米 × 25.7厘米
3.4千克

木头、金属、塑料、橡胶、
合成纤维内饰
98 德国马克

这里是将PC 3唱片机（左页）改装成了
一个便携式设备，可连接于固定式高保
真音响系统或便携式收音机。并且，该
设计是电源连接模式，而非电池供电模
式。这款设备的电源线存放在最前面斜
切面板的内隔间中，便于运输携带。机
身木质与塑料质地的外壳上还裹了一层
塑料涂层纤维，其中有一些涂层纤维材
料还是由明斯特（Münster）监狱的囚
犯制作的。当时，这款设备主要用于各
级学校和大学，以及成人培训课程和研
讨会中。

同系列产品还包括Phonokoffer PC 3 SV
（1959）、PCK 4 高保真唱片机（1960）。

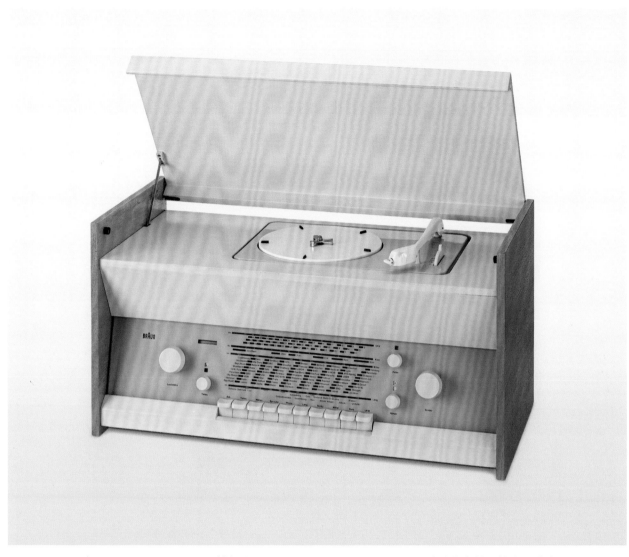

atelier 1，1957年 / atelier 1–81 stereo
集成立体声音响系统，1959年（如图
所示）
迪特·拉姆斯

博朗公司
29.7厘米 × 58.3厘米 × 29厘米
13千克

涂漆的木材、榆木、玻璃
395 德国马克

atelier 1立体声音响系统有令人熟悉的矩
形形状和木质侧面板，表明了它与SK 4
组合音响（第25页）有着明显的"亲
缘"关系。不过相对而言，它的样式更
传统。这款设备将录音机放在收音机的
上方，机身顶部的防尘盖由涂漆木板制
成，这些特点使其从博朗公司自20世纪
30年代以来生产的几套立体声组合音
响系统中脱颖而出。收音机部分的调频
刻度尺和控制旋钮设计取材于设计师汉
斯·古格洛特为博朗公司设计的第一台
收音机，即1955年的G 11收音机。

同系列产品还包括atelier 1 stereo（1958—
1959），atelier 2（1960—1961），atelier 11
stereo（1961）。

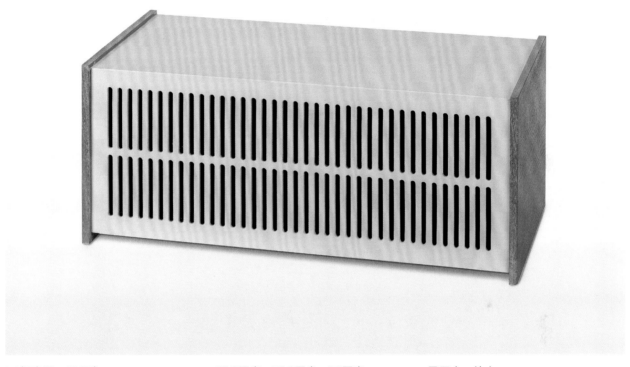

L 1扬声器，1957年 · · · · · · · · · · · · · · · · · 23.8厘米 × 58.2厘米 × 29厘米 · · · · · · · · · · · · · 层压木、榆木
迪特·拉姆斯 · 5.3千克 · 110 德国马克
博朗公司

这款扬声器是为了搭配atelier 1组合音响开发的，atelier 1音响系统无内置扬声器。为了实现立体声效果，两个扬声器在房间里的摆放必须保持一定的间距。这款L 1扬声器还采用了当时非常先进的双声道技术，即中低音区和高音区分别由不同的驱动设备来表现。这款扬声器的设计无论从视觉上还是从技术上都可以与其他的博朗立体声音响系统搭配和兼容。它还可以与博朗公司生产的从SK 4到SK 55的设备互相配对，并显著改善它们的音质。SK系列设备的音质往往会由于它们的金属外壳结构而受到影响。

而L 1扬声器的外壳则恰恰相反，它由白色的层压木与榆木侧板构成，因此声音效果的质量更高。

同系列产品还包括L 11（1960）、L 12（1961）。

combi DL 5电动剃须刀，1957年
迪特·拉姆斯，格德·穆勒
博朗公司

9.5厘米 × 7厘米 × 3.8厘米
0.3千克

金属、塑料
58～70 德国马克

这款combi DL 5剃须刀的设计形式正是
后来大卖的sixtant系列剃须刀（第102
页）所参照的外观形式。它小巧、圆
润，矩形的设计非常适合握在手中。而
且为了实现更好的抓握，机身表面还设
计了一排排细细的防滑凹槽。在白色机
身一侧有一个红色或黑色的公司标志，
这是这把剃须刀的唯一装饰。这个小铭
牌也可以在拉姆斯设计的PA 1和PA 2幻
灯片投影仪（第23页）和其他几款博朗
公司产品上找到。"combi"是指剃须刀
和理发器的结合。

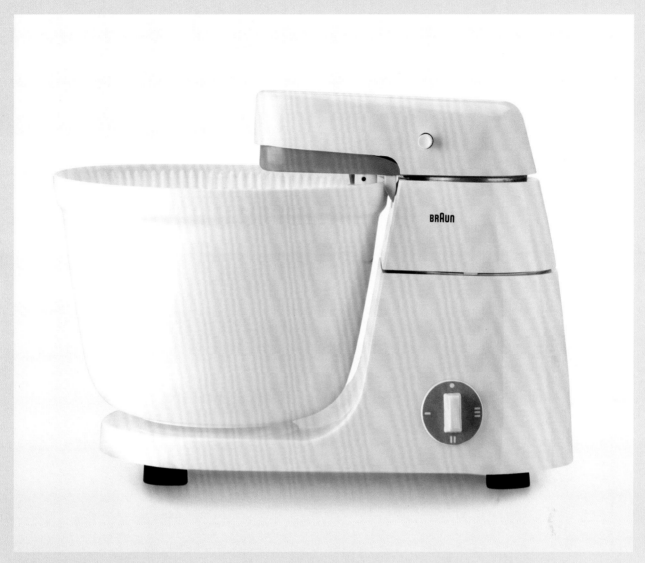

KM 3食物料理机，1957年
格德·穆勒
博朗公司

26.5厘米 × 37.5厘米 × 24厘米
7千克

塑料
198～245 德国马克

KM 3食物料理机是博朗公司生产的最著名的电器之一，它直到20世纪90年代才停产。KM 3食物料理机的外观与美国品牌"厨房助手（KitchenAid）"的立式搅拌机的流线型刚好相反，后者于1936年开始生产。在此之前，阿图尔·博朗和公司的工程师曾在1955年开发出了食物料理机的第一款功能样机，但是他们需要一个技术精湛的建模专家来做这款搅拌机的成品样机。于是，拉姆斯推荐了格德·穆勒。穆勒是拉姆斯在威斯巴登学院的一个朋友，后来他成为博朗设计团队中的一名重要成员。

穆勒于1955年年底加入了这个项目，他摆脱了当时流行的现代工业风格的限制，迅速开发出了一种更可靠的设计形式。而在整个1956年，拉姆斯和穆勒是共用一个公司工作室的。

KM 3产品外轮廓线条流畅，水平方向上的切口将这款设备的主机身划分3部分，由下至上分别是电机、齿轮变速箱和悬臂式搅拌头。这款料理机最上面的标准搅拌头还可以使用几种不同的料理机配件替换。机身旋钮开关上的淡蓝色元素也体现在机器配件的色彩设计上，这也是博朗公司运用颜色来指示功能的早期案例。该产品升级后的型号是KM 32，自1964年开始生产销售，其特点是使用了更淡雅的色彩方案，并带有多个混合搅拌头配件，KM 32食物料理机是在罗伯特·奥伯海姆（Robert Oberheim）的帮助下设计的。

KM食物料理机系列产品共生产了约230万台。

同系列产品还包括KM 31（1957）、KM 32和KM 32B（1964）。

transistor 1，1957年／T 22便携式收音
机，1960年（如图所示）
迪特·拉姆斯
博朗公司

21厘米 × 28.5厘米 × 9.5厘米
2.5千克

塑料、亚克力
215 德国马克

这是博朗公司设计的第一代便携式晶体
管收音机，其简单的矩形外观为该公司
后来的袖珍收音机建立了标准模版。尽
管相对于后来开发的产品而言，第一代
产品的整体外观更大，动力也更强。在
这类早期的收音机设备中，组合了4个
真空管和3个晶体管。因此，可以说它
还没有实现完全的晶体管化。拉姆斯将
收音机的调谐刻度表放在了正前面，这
是参照了同类设备的设计标准而设置
的，这种设计布局有利于在收音机直立
放置时进行操控。拉姆斯基于在SK组合
音响和L 1扬声器（参照第33页）设计中
获得的美学启发，将这款设备的扬声器
和散热管的水平开口都放在了收音机的
正前面。

值得注意的是在这款博朗产品发布会的
新闻稿中，公司特意提到了设计师拉姆
斯的名字。在那个年代，在产品发布时
对设计师进行致谢是非常罕见的。这款
transistor 1产品后来发展出了具有不同
调频波长范围的其他型号产品。

同系列产品还包括transistor 2（1958）、
transistor k（1959）、T 22-C、T 23和
T 24（1960）、T 220（1961）、T 225
（1963）。

L 2带防滑支腿的扬声器，1958年　　　　72厘米 × 43厘米 × 32厘米　　　　层压木、天然木材、金属、镀镍钢管
迪特·拉姆斯　　　　　　　　　　　　16千克　　　　　　　　　　　　　　235 德国马克
博朗公司

这款1958年开发的大型L 2落地式扬声器采用了木质矩形机身，扬声器机箱被放置在用镀镍钢管制成的带有两个防滑腿的支架上面。产品的正面是黑色带孔眼的扬声器金属罩网，它被安装在一块正方形白色层压板上面，而这个白色层压板从机身正面一直延伸到机身背面。机身侧面则采用胡桃木或白色山毛榉的单板作为装饰性镶板。该外观会让人联想到拉姆斯对于音响设备系列（第32页）一惯的设计美学，并且也与拉姆斯所坚持的设计美学相一致。L 2扬声器成功地将不同类型的材料与色彩巧妙地组合在了一起。白色与黑色构成了鲜明的色彩对比，同时又完美地契合了该产品的设计美学。

同样，由镀镍钢管制成的拐角半径与扬声器外壳的90°折角相得益彰，而金属材质的底座与木质箱板的温暖哑光饰面形成了质感上的对比。虽然这款设备仅以每批400台的小规模进行批量生产，但在一定程度上，这种"音响家具"已经预示了先进技术的新美学。L 2设备凭借着3个内置的扬声驱动器为人们提供了全新的听觉体验。

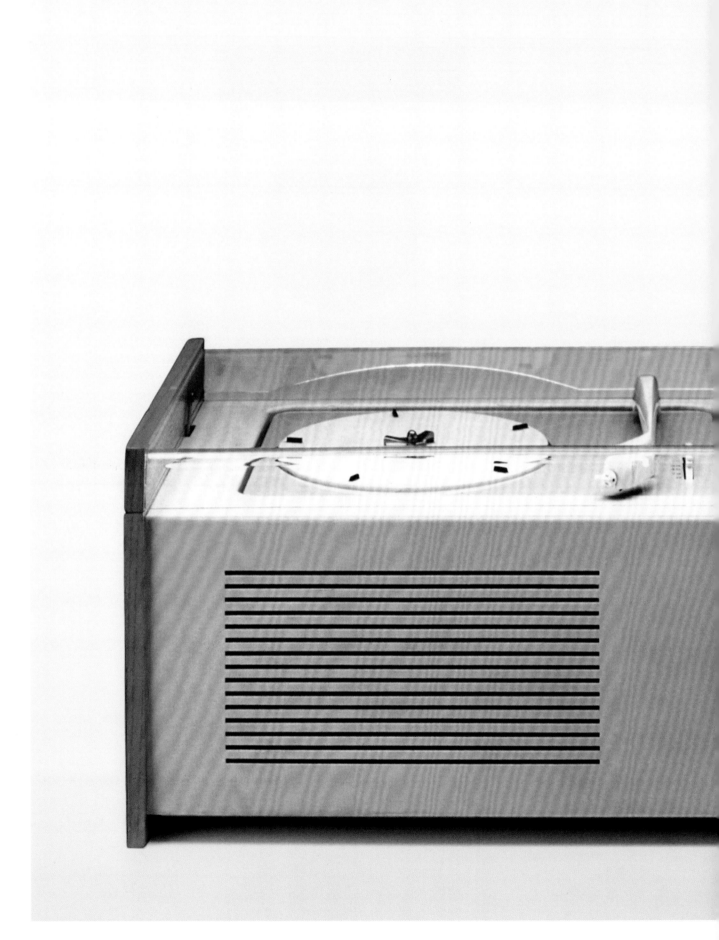

SK 5单声道收音机–唱片机组合音响，
1958年
迪特·拉姆斯，汉斯·古格洛特，
格德·穆勒，沃克斯塔特·瓦根菲尔德
工作室：
拉尔夫·米歇尔，赫尔穆特·沃内克，
亨兹·普芬德

24厘米 × 58.4厘米 × 29.4厘米
11.5千克

金属、塑料、亚克力、榆木
325 德国马克

SK 5组合音响是与SK 4/2产品几乎完全
相同的后代产品，它只是多加了一个长
波频段，因此需要设置第5个按钮来操
作。此外，该设备不再需要连接到室外
伞形天线来收音，而是连接到一根1米
长的插入式天线即可。因此，这款设备
只需要连接电源就可以使用了，这为它
在房间里的摆放位置提供了更大的灵活
性。此外，这款组合音响也提供了4种
唱片机播放速度选择，而不是原来的
3种。博朗公司制造的这款产品总量在
15000～30000台。另外，出口到美国
和加拿大的SK 5c型产品则是用一个短
波频段代替了新增的长波频段。

同系列产品还包括SK 5c（1960）。

一款便携式唱片机的原型机，1958年
迪特·拉姆斯
博朗公司

9厘米 × 29.2厘米 × 23.7厘米
2.7千克

塑料、金属、橡胶
未出售

这款便携式唱片机也可以挂在墙上，它
的设计样式是与收音机（下页）相配套
的。唱片机上面的防尘罩被设计为可以
开启90°，这样就可以在唱片机启动时让
唱片保持在水平位置上转动而不卡顿，
而这也是播放唱片的唯一方法。这款唱
片机的另一个显著特点是：唱片机的唱
臂可以在不使用时放置在对应的唱臂凹
槽中，并与机身保持平齐。这个系列原
型机的最初设计意图是根据乌尔姆设计
学院的提议，创造出一款壁挂式的唱
片机。

一款便携式收音机的原型机，1958年
迪特·拉姆斯
博朗公司

23厘米 × 16厘米 × 7.2厘米
0.5千克

塑料、纸、铝材
未出售

1956—1957年，无论是在乌尔姆设计学院还是在博朗公司的法兰克福工厂，博朗收音机的设计创意不断涌现。其中，一个主要话题就是模块化，即讨论物品是如何组合在一起，如何相互补充的。另一个主要的考虑因素是便携性，以及开发出新颖的外观样式。于是，乌尔姆设计学院开始为博朗公司设计一个新的模块化高保真音响系统，当时还是该校学生的赫伯特·林丁格（Herbert Lindinger）后来提交了这个产品的设计方案作为毕业设计作品。拉姆斯延续了这一创意理念，并设计了与之配套的分离式高保真音响设备，如studio 2音响系统（第53页）。

同时，拉姆斯也将模块化的概念应用于这种小型的便携式收音机和由电池驱动的唱片机（上页）上面。这款便携式收音机的外观特点是它的调谐刻度盘横跨了整个机身外壳的宽度，同时机身正面还有一个圆形带孔眼的扬声器金属网格罩。这款产品的机身背面还设计了一个小开口，用于直接挂在墙上。

T 3袖珍收音机，1958年
迪特·拉姆斯，乌尔姆设计学院
博朗公司

8.2厘米 × 18.8厘米 × 4厘米
0.45千克

塑料
120 德国马克

20世纪50年代，晶体管技术的进步使便携式收音机的体积缩小成为可能，这种收音机被称为"袖珍收音机"。世界上第一款商用的晶体管收音机Regency TR-1于1954年在美国上市，我们可以将它看作是这款T 3产品的早期灵感来源。另一个影响了拉姆斯设计的是索尼TR-63收音机，它于1957年在日本上市，也是第一种被称为"口袋大小"的收音机。这款索尼设备的特点是带有一个非常显眼的调频刻度盘，我们可以看出这一元素也体现在了T 3设备的调频转盘设计中。这款设备的最初设计方案是由奥托·艾舍（Otl Aicher）和汉斯·康拉德（Hans G. Conrad）在乌尔姆设计学院设计的。

但他们提出的最初设计方案并没有获得认可并投入生产。拉姆斯随后对该方案进行了改进，提出了一个更合适的、视觉上也更吸引人的方案，之后才投入了生产。

机身上扬声器的金属网格罩是由121个圆形孔眼组成的，这些小孔眼排列成方形的网格形式，而博朗标志则非常克制地被设置在机身的背面。T 3设备配有一个轻便的保护皮套，皮套上面的博朗标志相对来说更加显眼，这很可能是当时营销部门借机用来进行产品宣传的。T 3设备通常被认为是苹果iPod（2001—2014）的早期灵感来源，苹果公司的设计师乔纳森·艾维（Jonathan Ive）经常谈到他对于拉姆斯的敬仰和钦佩。

同系列产品还包括T 31（1960）。

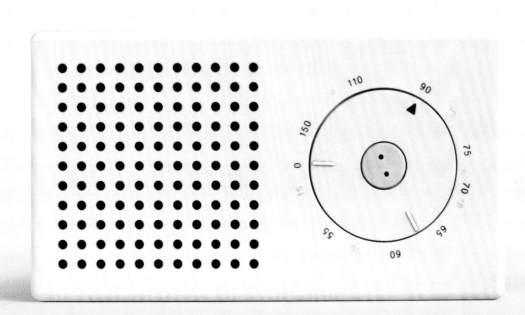

S 60 Standard 1电动剃须刀，1958年
迪特·拉姆斯，格德·穆勒
博朗公司

10厘米 × 5.5厘米 × 3.2厘米
0.25千克

塑料、金属
35 德国马克

博朗剃须刀的设计经过了多次小的演变
过程。这款S 60剃须刀是combi DL 5剃
须刀（第34页）的一个更窄小的版本，
但它没有理发器配件。这种机身样式更
适合那些手掌偏小的人抓握，最重要的
是它的价格非常便宜。

同系列产品还包括S 60 Standard 2（1960）、
S 62 Standard 3（1962）、S 63 Standard
（1965）。

MX 3，1958年 / MX32搅拌机，1962年 40厘米 × 14厘米（根据直径测量宽度） 塑料
（如图所示） 4.5千克 110 德国马克
格德·穆勒
博朗公司

这款搅拌机借鉴了1957年博朗KM 3食
物料理机的设计元素（第35页）。整个
机身分为上下两个锥形部分，即搅拌杯
和电机，二者在机身的中间位置汇合，
从而形成了一个非常明显的纤细腰部，
并给产品设计带来了视觉上的轻盈感。
连接电机和玻璃搅拌杯的金属环也为用
户指明了该如何拆下顶部的玻璃搅拌
杯。这款设备机身上唯一的控制元件是
一个带有旋柄的大号圆形开关。

同系列产品还包括MX 31（1958）、MX
32 B（1962）。

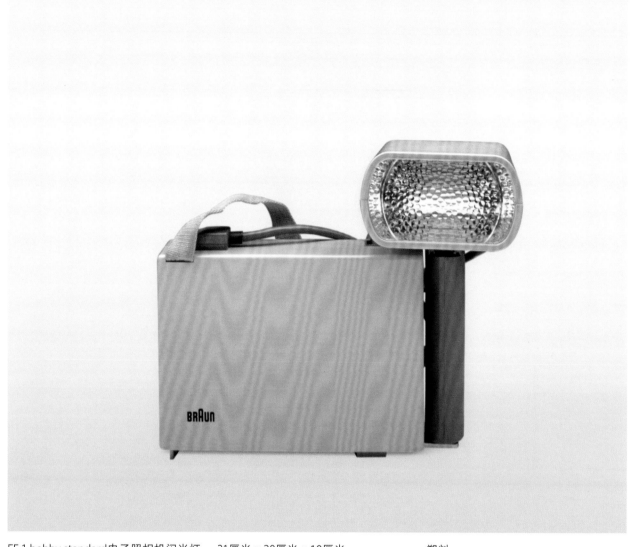

EF 1 hobby standard电子照相机闪光灯，
1958年
迪特·拉姆斯
博朗公司

21厘米 × 20厘米 × 10厘米
2.5千克

塑料
185 德国马克（EF 2-NC型号）

在20世纪50年代中期，设计并生产照相机闪光灯成为博朗公司全新的业务领域。这个想法很可能是欧文·博朗和他的朋友——物理学家格哈德·兰德（Gerhard Lander）博士在参观1952年德国科隆举办的世界影像博览会时产生的。博朗公司想生产一种价格只有市场现有设备一半的闪光灯。经过7个月的产品开发，到了1953年这个想法就变成了现实，即Hobby de Luxe设备被开发出来了，它的价格仅为198德国马克。该设计仍然是基于20世纪30年代的产品模型而开发的。因此，拉姆斯对它进行了设计调整，使其更符合博朗公司新的设计风格，并最终有了这款产品。

鉴于技术条件所限，这款EF 1体积相当大。它由动力装置、电池和闪光灯头几个部分组成。拉姆斯将动力装置封在一个扁扁的矩形盒子中，盒子外壳的四边是完全平滑的。位于盒子正面左下角的黑色博朗标志有助于在视觉上平衡右上角的闪光灯头。这个闪光灯头也可以直接安装在相机上。后来随着时间的推移，照相机的闪光灯变得越来越小，如今智能手机上的内置闪光灯就是电子产品极度小型化的一个典型例子。

同系列产品还包括EF 2-NC hobby special（1958）。

D 50可远程遥控的自动幻灯片投影仪的
原型机，1958年
迪特·拉姆斯
博朗公司

26.5厘米 × 33.5厘米 × 14厘米
6千克

塑料、金属
未出售

这款幻灯片投影仪虽然只是以每批50台的小规模来预制生产的，但是我们可以将它当作博朗公司一系列全新产品的起点。D 50产品与1956年的PA 1设备（第23页）不同，它的外形设计受到了SK音响系列的简单矩形的影响。相比而言，D 50产品上没有PA 1设备上那么多的按键式按钮，而且按键式按钮被替换为圆形的旋钮。同时，所有设备零部件都被封装在一个盒子状的外壳里，机身表面只留下了投影镜头和几个操控旋钮。而外接的有线遥控器的形状与投影仪的外形也是相匹配的，在遥控器上面还配有一个凹面的按钮开关。

这款产品所体现的这些设计调整决策都表明了：在短短的一段时间之后，拉姆斯对这类设备已经形成了一种全新的设计态度，而这反过来又影响了他后续的产品设计，如1961年的D 40设备（第72页）。

D 50产品的设计是根据阿图尔·博朗的指示开发的，他希望设计一款能成为行业标准的幻灯片托盘系统。为此，他专门指派了一位专业工程师来完成这项任务，但制作这台技术复杂的设备所花费的成本太高了，以至于该产品无法获得市场认可，所以最终并没有投入生产。于是，罗伯特·奥伯海姆（Robert Oberheim）在1970年开发D 300产品模型（第171页）时，又重新应用了D 50产品的独特外形样式，并将幻灯片的胶片盒设置在投影镜头的下面，并增加了一个可以调节底部翘板的旋钮开关，用于调整投影仪的垂直倾斜角度。

同系列产品还包括D 45（1961）、D 47（1966）、D 46和D 46 J（1967）。

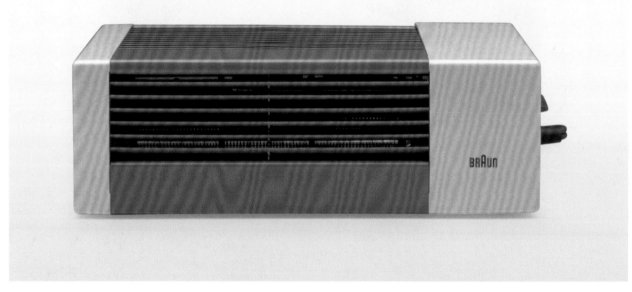

H 1风扇型暖风机，1959年　　　　8.5厘米 × 27.5厘米 × 13.5厘米　　　金属、塑料
迪特·拉姆斯　　　　　　　　　　2千克　　　　　　　　　　　　　　　89 德国马克
博朗公司

这款小巧而强有力的风扇型暖风机上市时，在技术和设计上都引起了巨大轰动。它的输出功率为2000瓦，暖风可以吹得很远，可以为小房间和大房间供暖。它的这种紧凑型的设计样式得益于由工程师布鲁诺·埃克（Bruno Eck）和物理学家尼古拉斯·莱恩（Nikolaus Laing）在1956年发明的"横流风扇"的创新技术。这种横流风扇取代了传统的螺旋桨风扇，而且明显噪声小、体积也更小。同样也是得益于这项技术创新，拉姆斯可以设计出这款精巧的、令人印象深刻的暖风机外壳。在这款设备中，两个浅灰色的矩形盒子构成了机身的左右两侧，其中较大的右侧盒子中容纳了电机和变速箱。

机身的中间部分被封闭在一个深灰色的外壳中，其中容纳了风扇和加热元件。带有横槽开口的、用于进气的金属网格罩位于机身的顶部，而出风口则位于机身的前部。机身下方有一个可以旋转调节的支脚，能够调整设备的位置和高度。博朗公司后来还将这项专利风扇技术应用在了许多其他设备中。

尽管这是拉姆斯职业生涯的早期作品，但是他的设计方法已经体现在这款H 1产品中了：使用无彩色（白色、灰色和黑色）的整体配色方案，采用一个封闭的、砖块状的外形轮廓，巧妙运用一些克制的但引人注目的设计元素。因此，这款产品代表了拉姆斯在博朗公司作为首席设计师时的一个重要突破。

同系列产品还包括H 11（1959）、H 2和H 21（1960）。

F 60 hobby（1959年）/ F 30 b hobby，
1959年；F 65 hobby电子照相机闪光灯，
1962年（如图所示）
迪特·拉姆斯

博朗公司
19.3厘米 × 11.3厘米 × 5.8厘米
0.9千克

塑料、金属
178 德国马克

与1958年设计的EF 1 hobby standard设
备（第46页）相比，该系列电子闪光灯
产品的电源部分所占的空间更小。从F
60型号开始，电子闪光灯的外壳逐渐缩
小为一个细长的矩形盒子。经过10年的
逐步改进，闪光灯灯头部分的设计也调
整并缩小了，以使它从视觉上与动力装
置部分的外壳更加匹配。

同系列产品还包括F 650 hobby（1965）、
F 655 hobby（1969）、F 655 LS hobby-
mat（1969）。

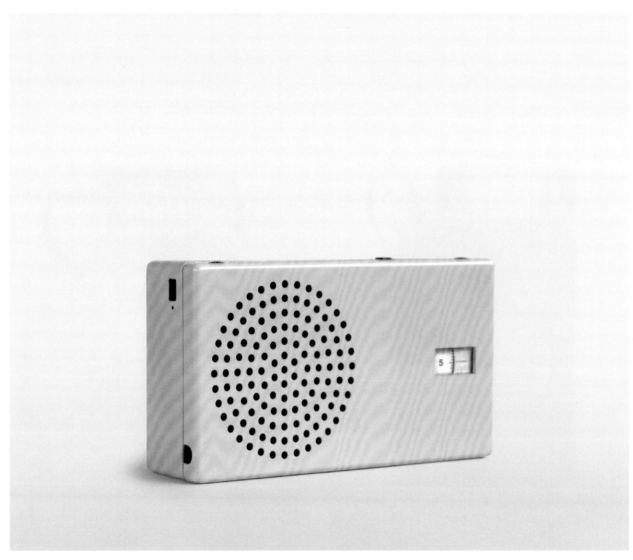

T 4袖珍收音机，1959年
迪特·拉姆斯
博朗公司

8.2厘米 × 14.8厘米 × 4厘米
0.5千克

塑料
135～150 德国马克

这是继1958年的T 3产品之后（第42—43页）博朗公司生产的第二款袖珍收音机。它带有一个圆形的扬声器网格罩，网格罩上的小孔眼是按照同心圆形式分布的，非常具有特色。同时，它还带有一个由仅为10毫米×20毫米的小窗口构成的调频刻度盘，这个嵌入式刻度盘的数字编号是1～7。这款产品是拉姆斯的极简设计作品之一，可以被认为是"存在主义范式"的收音机。不仅如此，它还增加了一个额外的短波频段接收机。这款收音机背面的博朗标志甚至比上一代产品更小，只有8毫米宽。T 4袖珍收音机还搭配了一个保护皮套，该皮套是由一家名为Offenbach的皮具供应商生产的。

P 1便携式电池供电唱片机，1959年
迪特·拉姆斯

博朗公司
4厘米 × 14.8厘米 × 14.8厘米
0.6千克

塑料、金属
59 德国马克

这款便式的微型唱片机是为了搭配博朗的袖珍收音机系列而设计的。唱片放置在唱片托盘的中心轴上，并由中心轴上的滚珠轴承来固定。唱针上面连接的是一个由弹簧加载的"德国意力（Elac）"品牌的KST 11晶体唱头。唱针是从下面向上顶在唱片上的，不用的时候可以隐藏在一个滑动金属盖板底下的凹槽中。P 1唱片机可以通过连接线直接连到一台袖珍收音机上面，这两款设备也可以同时装入一个阳极氧化铝材质的盒中，组合成一套便携式立体声音响系统。

TP 1收音机和唱片机的组合一体机，
1959年
迪特·拉姆斯
博朗公司

23.5厘米 × 15.3厘米 × 4.3厘米
1.35千克

塑料、金属、橡胶、皮革
215 德国马克

今天，人们在旅途中听音乐被认为是理所应当的，许多人在城市旅行时都戴着耳机，并携带某种音乐设备。然而，今天的迷你音响设备的早期模型机并不仅仅是1979年开发的索尼随身听，还包括20年前拉姆斯为博朗公司设计的一款音响设备TP 1。它是将当时最新开发的T 4袖珍收音机和P 1迷你唱片机（第50—51页）组合在一起所构成的组合机。就设计外观来说，这款设备的外形完全由矩形和圆形组成，形成了一种既令人兴奋又非常和谐的几何构图效果。

这款设备的特色设计包括浅灰色的塑料外壳，泛着金属光泽且四圈还缠绕着深灰色橡胶圈的唱机主轴，以及在T 41收音机（即后来的组合一体机样式，第87页）调频刻度盘上那种色彩对比鲜明的红色指针。所有这些设计元素搭配在一起便构成了高品质的视觉画面效果，并且从功能上还实现了将精密设备完美地组装在一起成为一体机尝试。

同系列产品还包括TP 2（1960）。

studio 2：CS 11，CE 11，CV 11模块化高保真音响系统，1959年
迪特·拉姆斯
博朗公司

CS 11：16.5厘米 × 39.7厘米 × 32.1厘米
CE 11 和 CV 11：
10.6厘米 × 19.7厘米 × 32厘米
多种重量

涂漆钢板、铝材、塑料、亚克力
CS 11：700 德国马克；CE 11：400 德国马克；CV 11：350 德国马克

1960年，日本建筑师们发表了《1960年宣言：关于新城市主义的倡议》（*Metabolism 1960: Proposals for a New Urbanism*）。推动这一进程的动力主要是人们对于日本城市快速发展的认识不断提高，他们不想对这些城市实施僵化的总体规划，而是要建立一个能够更适合不断变化的社会环境，并可以提供增长灵活性的适应性"规划体系"。这种模块化的设计思想也一直存在于建筑设计中，自卡尔·弗里德里希·辛克尔（Karl Friedrich Schinkel）设计并于1831—1836年建设的柏林建筑学院大楼以来，还体现在诸如约瑟夫·帕克斯顿（Joseph Paxton）1851年设计的伦敦水晶宫，以及米斯·凡·德罗（Mies van der Rohe）、康拉德·瓦克斯曼（Konrad Wachsmann）和黑川纪夫（Kisho Kurokawa）等现代主义建筑师的一些作品中。

在工业设计领域，汉斯·古格洛特在1955年首次将这种模块化方法应用于他早期的博朗木质产品设计中。4年后，拉姆斯也开始在他的消费电子产品中采用了同样的设计方法，并将其最先应用于studio 2音响系统。拉姆斯在1958年设计的atelier 1立体声系统（第32页）中有一个独立于扬声器的收音机和唱片机组合单元机。他基于atelier 1的设计框架，也为studio 2音响系统设计了3个独立的单元机，即CS 11前置扩音器和唱片机组合一体机、CE 11调频器和CV 11扩音器。

这套系统设备的特点是各单元机的金属外壳之间比例均匀，且机身外形被简化为只有矩形和圆形的样式，机身上带有清晰的操控标签。此外，这些设备的机身上只有3类控制开关，并且安装位置与其具体功能相对应，看起来非常一目了然。

1961年，CS 11设备上的唱片机与前置扩音器也进行了分离，拆分为PCS 4唱片机（第76页）和CSV 13扩音器，从而可以再创建出更多的系统组合方式。

随着博朗立体声音响系统的发展，这种模块化原理的实践也逐渐推进。最终，收音机、前置扩音器、扩音器、唱片机、磁带录音机、DVD播放机、CD播放器和电视机都变成了独立的，但同时在技术和美学上又都可以相互兼容的模块化单元机。

L 01带支架的辅助高音扬声器，1959年
迪特·拉姆斯
博朗公司

扬声器：18厘米×18厘米×8厘米
支架：123.5厘米×26厘米
扬声器：1.3千克
支架：5千克

层压木、钢材
45 德国马克

1959年开发的L 01设备是一个辅助高音喇叭，它可以与1958年拉姆斯设计的L 2落地式扬声器（第37页）组合使用。这款产品的设计运用了矩形和线条等基础几何形状，并采用了非对称式，创造出一种新的美学形式：一个带有黑色小孔网格罩的浅灰色方盒，悬挂在垂直站立的支撑架上，并且还垂直平行于该支撑架。该设备的高度可以根据听众的座位高矮进行调节，从而达到最佳音效，而扬声器的方盒部分也可以全部拆下来并直接摆放在柜子上使用。L 01产品的精致组合样式不免让人联想起亚历山大·考尔德（Alexander Calder）设计的活动雕塑，同时它也体现了设计师从艾琳·格瑞（Eileen Gray）在1927年设计的管状落地灯中所汲取的设计灵感。

不过，这款产品中悬浮的矩形部分则是一个完全原创的设计形式。

这款扬声器的方盒状外壳很快就成为拉姆斯设计更大型号的扬声器的基础模板。最先是在1961年的L 40产品（第78页）开始应用了这种方盒样式，随后所有的博朗扬声器产品及大多数其他音响制造商生产的扬声器产品的设计多为这种方盒子的形状。

同系列产品还包括：L 02（1959）、L 02 X（1960）。

LE 1静电式扬声器，1959年　　　　76厘米 × 83厘米 × 31.5厘米　　　　金属、镀镍钢管
迪特·拉姆斯　　　　　　　　　　　21千克　　　　　　　　　　　　　　795 德国马克
博朗公司

1959年博朗公司研发的LE 1扬声器是对国都（Quad）ESL-57扬声器产品的再设计，后者是英国老牌音响制造商国都公司采用彼得·沃克（Peter Walker）发明的音频技术而开发的一款静电式扬声器。博朗公司从国都公司获得了ESL-57设备的技术专利和外观专利。但这款产品只被允许在联邦德国销售。英国公司设计的ESL-57扬声器设备由一个织物覆盖的方形框架组成，外观像当时流行的软垫家具，并且在方形框架底部由3个锥形的木腿支撑着。相比而言，LE 1扬声器有一个扁平的矩形框架，外面还镶嵌着一圈灰色的金属外框，并以略微向上倾斜的角度放置在一个类似画架的支架上面。

这款产品的支架部分由镀镍钢管制成，扬声器的前面覆盖着一个石墨色的、带网眼的弧形金属网格罩板。从设计角度看，该网格罩板弯曲的曲率非常重要，因为它在反射光中会产生视觉上的渐变效果，从而使矩形框架显出独特的优雅感。而在这明暗色调之间、粗犷与精致的形式之间，也有着引人入胜的对比效果。到了1999年，总部位于科布伦茨附近的一家名为Quad Musikwiedergabe的德国公司又重新销售LE 1产品，目前每对扬声器的售价接近7000欧元。这款扬声器第一批只生产了500对。

1960—1969

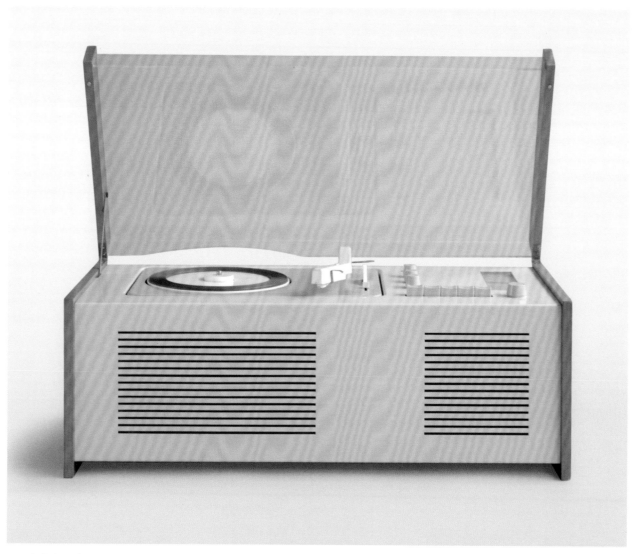

SK 6立体声收音机–唱片机组合音响，
1960年
迪特·拉姆斯，汉斯·古格洛特
博朗公司

24厘米 × 58.4厘米 × 29.4厘米
11.5千克

金属、塑料、亚克力、橡胶、榆木
448 德国马克

SK 6组合音响将立体声的音效技术带入
了博朗音响产品中。它集成的双声道立
体声扩音器元件的动力为2 × 2瓦特，并
且需要连上一个外接的扬声器才能播
放。在这里，拉姆斯对唱片机的部分外
观重新设计，选用了一种更加笔直的线
条以取代格德·穆勒早期设计的自然线
条，SK 4唱片机托盘上的星形固定胶垫
也被一条连续的环状橡胶条所取代。在
技术方面，SK 6产品代表了过去科技与
未来科技的融合，因为它的唱速控制器
既可设置为播放早期的虫胶唱片模式，
又可设置为播放现代的立体声唱片。出
口型SK 61c设备则用短波频段接收机代
替了设备上的长波频段接收机，并由
克莱顿（Clairtone）公司负责海外市场
销售。

同系列产品还包括SK 61（1961）、SK 61c
（1962）。

SM 3电动剃须刀，1960年
格德·穆勒
博朗公司

10厘米 × 7.3厘米 × 3.4厘米
0.31千克

塑料、金属
74 德国马克

格德·穆勒在由拉姆斯和他共同设计的
combi DL 5剃须刀（1957年）（第34页）
的基础上改进了剃须刀的形状和表面处
理技术，缩小了剃须刀的底座部分，并
采用了完全光滑的表面质感，电源开关
也被移到了与之前产品相反的一侧，并
且相对于博朗标志创造出了一个更平衡
的构图效果。这些设计变化为1962年的
sixtant SM 31产品（第102页）建立了
设计标准。

M 1 Multiquirl手动搅拌机，1960年 15.6厘米 × （10.8～27）厘米 × 7.3厘米 塑料
格德·穆勒 0.8千克 88 德国马克（1962年起的价格）
博朗公司

这款手动搅拌机是格德·穆勒为博朗公司设计的最后几款产品之一，这也是KM 3（第35页）和MX 3（第45页）等厨房料理设备的延伸设计产品。与他之前在设计中使用的微妙曲线形式不同，这款M 1手动搅拌机的外观像一个拳击手，这可能也是受了拉姆斯设计的影响。而搅拌头部分的钢丝全都弯折成相同的角度，这个特征使它明显区别于其主要竞争对手，即由沃纳·格拉森纳普（Werner Glasenapp）设计并于1959年发布的Krups 3 Mix搅拌机。

同系列产品还包括M 11 Multiquirl（1960）。

F 22，1960 年/ F 21电子照相机闪光灯，　6厘米 × 8.5厘米 × 7.5厘米　　金属、塑料
1962年（如图所示）　　　　　　　　0.45千克　　　　　　　　　　　155 德国马克
迪特·拉姆斯
博朗公司

这款结构紧凑的闪光灯表明了这类设
备持续小型化的发展趋势。在过去的5
年时间里，也就是自拉姆斯设计的EF 1
（第46页）和F 60（第49页）以来，这
类设备的外形更加小巧了。这是博朗公
司生产的第一款将电源部分和闪光灯灯
头集成在一起的照相机闪光灯。

同系列产品还包括F 20（1961）。

601（RZ 60）椅子方案，低靠背模型产品，1960年
迪特·拉姆斯
维瑟与扎普夫伙伴公司/维瑟公司

70厘米×60厘米×65厘米
18千克

塑料、金属箔、泡沫、模压乳胶、压铸铝、搪瓷；毡、尼龙、皮革或织物装饰
390 德国马克（自1973年起的价格）

1960年，拉姆斯的两个新的模块化家具系统上市销售了。这款产品与他在1957年创建的RZ 57家具系统（第27—29页）有很大不同。虽然拉姆斯之前的设计基本为盒状，但在RZ 60系列产品的设计方案中，拉姆斯采用了更加自由的线条形式，从而为产品的整体外观增加了轻盈感。因此，拉姆斯对于更有机的曲线轮廓的使用便可以追溯到这款产品系列。

他设计的这款椅子的鲜明特征是有两个大号的铸铝材质的防滑椅子腿，增加椅子的稳定性；椅子的座位和靠背均采用矩形结构，并且都带有一个明显的后倾角度。

这款601椅子的设计目的并不是用于搭配餐桌或书桌，而是为了能够让人更放松地坐下来休息。拉姆斯在设计说明中写道："这把样式简单且物美价廉的椅子……低调而不张扬，几把同款椅子可以很协调地摆放在一起，即使是摆放在小公寓中也非常适合。"拉姆斯设计的RZ 60系列中的所有产品都具有视觉上非常轻盈的特点，这样不仅不会使房间显得拥挤，反而还能增强空间的通透感。

602（RZ 60）椅子方案，高靠背模型产品，1960年
迪特·拉姆斯
维瑟与扎普夫伙伴公司/维瑟公司

105厘米 × 60厘米 × 70厘米
25千克

玻璃纤维增强聚酯树脂、
压铸铝、搪瓷；毡、尼龙、
皮革或织物装潢
540 德国马克（自1973年起的价格）

通过延长椅子的靠背并增加一个头枕，拉姆斯的601椅子（上页）就变成了可以阅读或看电视的理想躺椅。座位前端和头枕部位的倾斜角度，既有功能上的舒适性，又突出了椅子在空间中的雕塑感。

601 / 602（RZ 60）边桌，1960年
迪特·拉姆斯
维瑟与扎普夫伙伴公司/维瑟公司

37厘米 × 60厘米 × 53厘米
12千克
亚克力、玻璃纤维增强聚酯树脂或玻
璃、压铸铝、毛毡、泡沫、皮革或织物
装饰

带亚克力台面的边桌：168 德国马克
带玻璃台面的边桌：298 德国马克
（自1973年起的价格）

为了搭配601和602型椅子产品，拉姆
斯运用同样的防滑腿又设计了一张与之
相配的边桌。边桌的设计特点是有一个
大面积的、亚克力材质的或玻璃材质的
桌面。而且，亚克力材质的桌面上还带
有一个浅矩形压痕，这个独有的设计特
点增强了桌面的质感效果，同时还可以
防止桌上的东西从桌子边缘滚落下去。
这个边桌还有一个可以与之搭配的软垫
矮凳，这个矮凳也可以作为普通椅子的
搁脚凳。

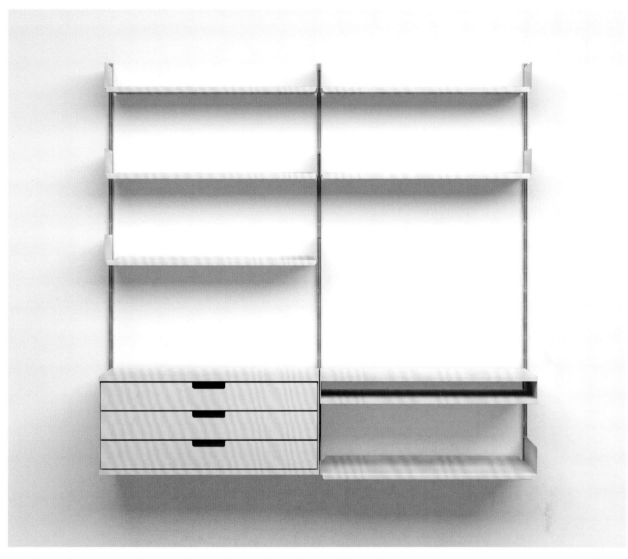

606（RZ 60）通用搁架系统，1960年
迪特·拉姆斯

维瑟与扎普夫伙伴公司/科隆sdr+家具公司/米兰德·帕多华（De Padova）家具公司/维瑟公司
多种尺寸和重量

阳极氧化铝、粉末涂层钢板、涂漆木材或天然木饰面薄板
多种价格

1960年，维瑟与扎普夫伙伴公司发布了一个组装灵活的、可以扩展的搁架系统。虽然它最初被命名为RZ 60，但自1970年以来它一直被称为606通用搁架系统，并且直至今天仍然在销售。606系统是一个真正复杂的设计案例。这款搁架系统的基本构成元素是一系列E型凹槽的铝制安装轨道，在这些轨道上带有孔眼，方便使用金属销子连接各个搁板和其他组装单元；设计在轨道侧面的横向排列的孔眼会使安装的其他结构单元更具有工业化的视觉效果，而这些孔眼从搁架系统的正面是完全看不出来的。这套产品系统的卡槽轨道是相互垂直平行的，因此在卡槽轨道之间的任意位置都可以插入其他组装单元。

就材质来说，这套搁架系统中带有的基础组装单元和抽屉部件最开始采用的是浅山毛榉木或美国胡桃木的单板贴面，

并配有铝制的侧板，而抽屉的前面板还可以选择白色层压板的款式。

与RZ 57系统（第28页）一样，这套606搁架系统的设计目的也是用来完美地承载并展示博朗公司的高保真音响设备。维瑟与扎普夫伙伴公司还提供了配套的专用固定元件，可以让博朗公司音响设备直接悬挂在E型的卡槽轨道上。这个606系统仅发布4年后就在第三届卡塞尔当代文献展（documenta III）上展出。

这套搁架系统在设计中表现出了克制的简洁性，以及系统中的每个单元都可以根据用户需要进行调整的极大灵活性，这些优势使其在市场上获得了极大的成功。

多年来，这款最初设计的搁架系统已经逐渐扩展到包括了搁板、抽屉、吊桌和橱柜等各个组合单元，几乎满足了用户的所有需求。而且，在该系列的每一次后续扩展都会注意确保它与之前产品的兼容性。除了铝合金的搁架版本之外（1984—2016年授权给米兰德·帕多华家具公司），自2012年以来，606系统始终是由英国皇家利明顿矿泉市的维瑟公司独家生产，并成功销往世界各地。而在1995—2012年，拉姆斯设计的这款产品则一直是由德国科隆sdr+公司生产的。

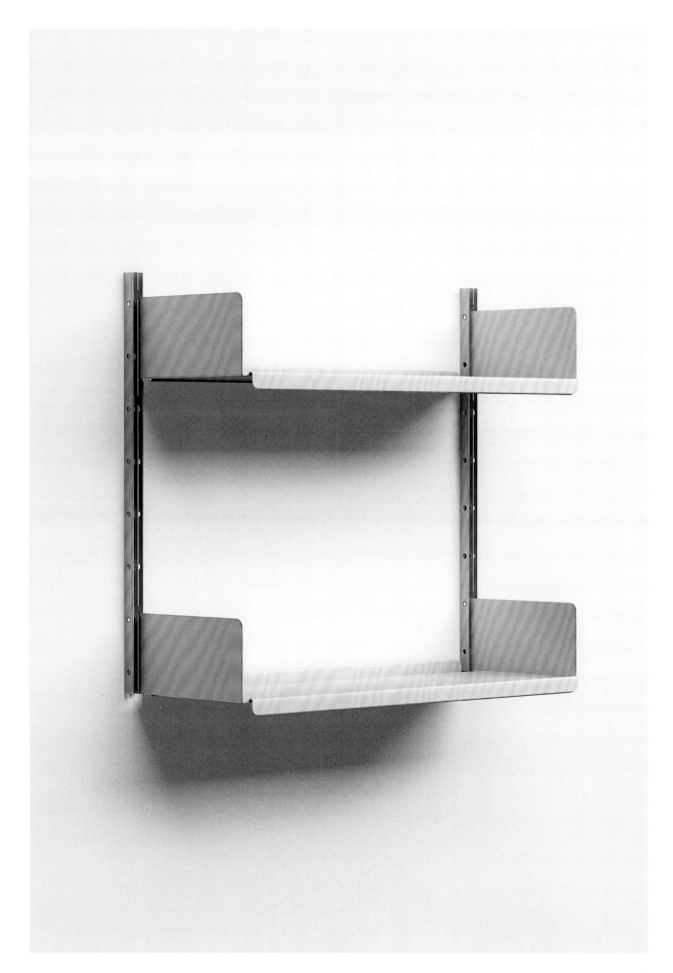

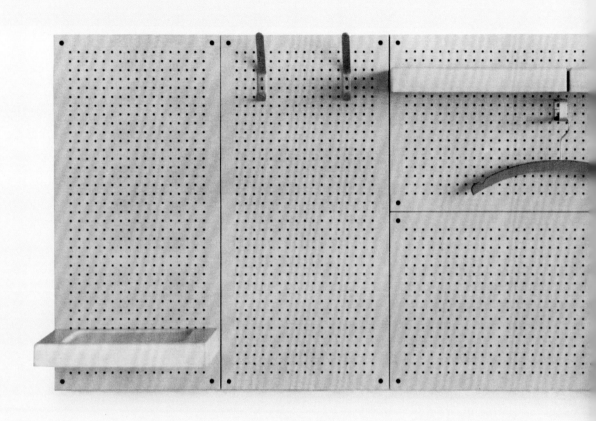

610墙面置物洞洞板系统，1961年
维瑟与扎普夫伙伴公司/维瑟公司/科隆
sdr+家具公司

80厘米 × 40厘米 × 2厘米
约5千克

层压钢板、塑料、铝材
38～96 德国马克

这款卓越的墙面洞洞板兼置物系统由一系列穿孔的钢板组成。尺寸为80厘米 × 40厘米的面板可以水平或垂直地安装在墙面上，并可根据用户需要进行自由组合。洞洞板上面可以用螺钉固定不同的小元件，如晾衣钩、手套收纳袋、雨伞架和搁架等。

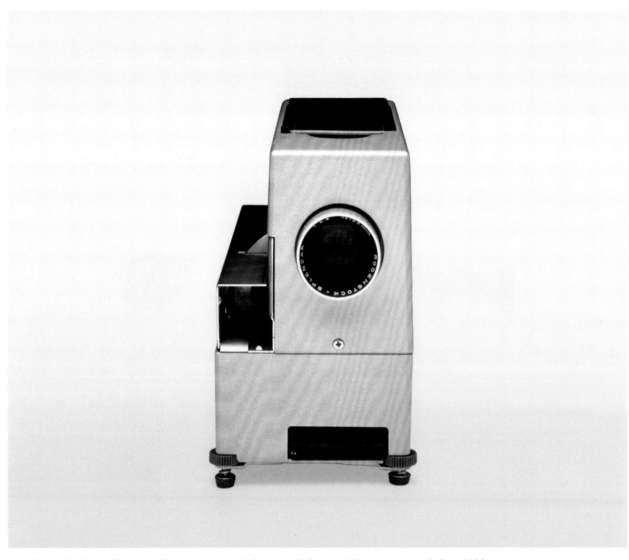

D 40自动幻灯片投影仪，1961年
迪特·拉姆斯
博朗公司

17.5厘米 × 25.5厘米 × 11厘米
3.95千克

钢板、铝材
298 德国马克

自1958年博朗公司限量发行了D 50投影仪（第47页）之后，拉姆斯对它的设计做了进一步改进，他致力设计一款经典产品，使其可以在几年中也能一直销售，从而诞生了这款D 40产品。D 40产品是在博朗设计师罗伯特·奥伯海姆的协助下设计出来的，到了20世纪70年代，奥伯海姆完全接手了这个产品系列的开发。从外观来看，它凸起的矩形盒子外壳与D 50产品的设计样式相同。但在这款设备中，放置幻灯片的铰链托盘滑轨位于矩形盒子的右侧，并与投影仪的光源和反射镜的位置平行。这是第一台使用了莱茨公司设计的幻灯片托盘系统的博朗公司投影仪，莱茨公司的幻灯片托盘系统在当时已成为全行业标准配件。

同系列产品还包括D 45（1965）、
D 47（1966）、D 46和D 46 J（1967）。

RT 20桌面收音机，1961年
迪特 · 拉姆斯
博朗公司

25.6厘米 × 50厘米 × 18厘米
7千克

涂漆钢板、山毛榉或梨木饰面
278 德国马克

这款桌面收音机的外形是对SK系列产品设计样式的延续。左边是收音机扬声器的开槽口，它由两个半圆连在一起组成一个整圆。它有一个薄板材料的矩形木质外壳。从侧面看，机身是从底部到顶部逐渐收窄的，这使得收音机的正面略微向上倾斜，这个结构设计可以使音色更加优雅。相对于SK系列，这种结构在音质表现方面效果好得多。收音机的正面是喷漆的金属外壳，有白色或石墨色可供选择。这款RT 20收音机的设计充分表明了博朗公司的产品是如何演进出一个易于识别的外观特色的：它既借用了过去的经典样式，但其逐渐收窄的机身设计又预示了在20世纪70年代后期出现的音响设备的新样式。

博朗公司大约生产并销售了6600台RT 20收音机。

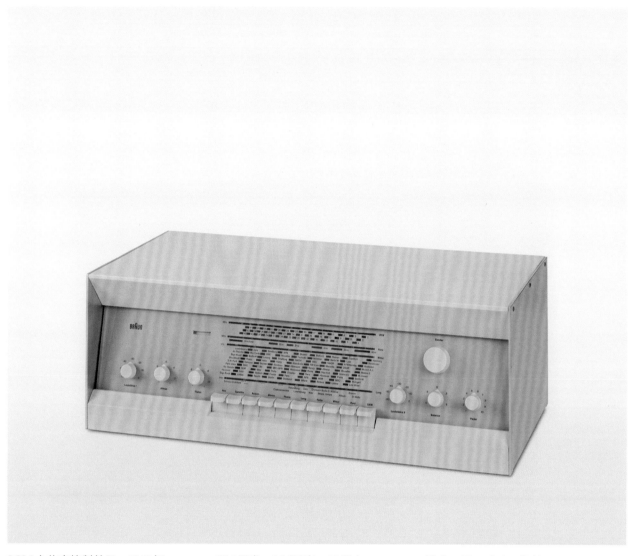

RCS 9立体声控制单元，1961年　　　20.9厘米 × 56.6厘米 × 28厘米　　　漆木、铝、玻璃、塑料
迪特·拉姆斯　　　　　　　　　　　12千克　　　　　　　　　　　　　　525 德国马克
博朗公司

这款收音机和扩音器组合一体机的外壳
主要由金属制成，SK系列使用的木质侧
板在这款设备中被铝板取代了。由于在
RCS 9这个产品中不包括唱片机，因此
不必再为了音质而必须使用木质材料。
不过，拉姆斯在这款收音机的正面外壳
设计上也保留了早前收音机标准的内凹
锐角样式。这款立体声收音器以每批
2600台的规模进行批量生产。

CSV 13扩音器，1961年　　　11厘米 × 40厘米 × 32厘米　　　钢板、铝板、塑料板
迪特·拉姆斯　　　　　　　　11千克　　　　　　　　　　　　775 德国马克
博朗公司

在这款真空管扩音器上，控制旋钮按其重要性的大小排成一条直线。不同的音频输入源通过左侧的长柄旋钮开关激活，而播放的音质效果则用对应的控制旋钮调节。这款扩音器正面的外壳材料是一块阳极氧化铝板，这块板子是用4个可见的螺钉直接固定在主机身上面的。主机身材料为薄钢板，钢板外面被漆成了浅灰色或石墨色。同时，这款设备上的指示文字使用的是小写字母，这也表示了设计师对于20世纪20年代德国现代主义设计的一种认可。此外，我们透过机身顶部的通风槽，还可以看到里面真空管透出的温暖灯光。

CSV 13以每批1800台的小规模进行批量生产。后来，博朗公司在1962年又推出了功能强大的CSV 60机型。CSV 60是更高端的产品版本，更适合搭配复杂的高保真音响产品。在后来的一系列产品中，博朗公司于1967年推出的CSV 60-1在设备的最右侧竖列又增加了第四个拨动开关，它可以使磁带录音机进入先写后读模式。

同系列产品还包括CSV 130（1962）、CSV 60（1962）、CSV 60-1（1967）。

PCS 4唱片机，1961年　　　　13厘米 × 30.8厘米 × 21厘米　　　金属、塑料、橡胶
迪特·拉姆斯　　　　　　　　　2.5千克　　　　　　　　　　　　99 德国马克
博朗公司

这款设备延续了PC 3唱片机（第30页）的设计样式，它展示了博朗音响系统正朝着一个可以支持更大唱盘的、更专业的音频设备时代迈进。而重新设计的唱臂在其悬臂装置的后面还配备了一个平衡块，用于调整唱针。

同系列产品还包括PCS 45（1962）、PCS 46（1963）。

PCV 4带集成扩音器的便携式立体声唱
片机，1961年
迪特·拉姆斯

博朗公司
21厘米 × 40厘米 × 27厘米
3千克

木材、织物、金属、塑料、橡胶
368 德国马克

这款带有两个独立扬声器的紧凑型立体
声唱片机可以装入一个便携式盒子中，
这使其在技术和设计上都比1956年的唱
片机PC 3（第31页）更先进。PCV 4产品
的目标客户市场也是教育部门，以及社
会团体和相关组织。

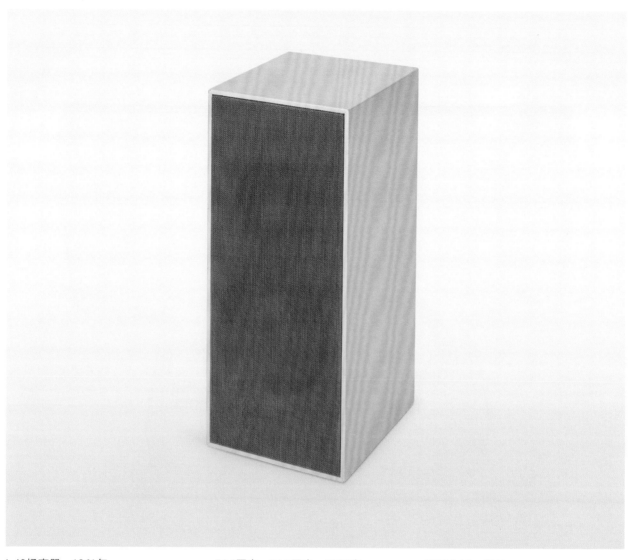

L 40扬声器，1961年
迪特·拉姆斯
博朗公司

56.6厘米 × 24.3厘米 × 28厘米
10千克

层压木材、铝材
185 德国马克

L 40产品宣告了一款新的扬声器经典机型的引入。这款设备以每批4000台的规模进行批量生产。从设计形式上看，它有一个细长的矩形机身，机身外面有一圈白色、石墨色或胡桃木色板材的木质饰面，饰面边沿与扬声器正面的一个压制铝材的金属网格板齐平。L 40扬声器既可以垂直靠墙放置，也可以水平放在柜子上。因此，就其自洽性和极简主义风格而言，它是无与伦比的。博朗公司此后开发的大号扬声器产品就是在L 40的基础上设计的，只是做了些微调。

1969年生产的L 710扬声器有细微的圆形边缘，而1982年由拉姆斯和彼得·哈特温（Peter Hartwein）共同设计的atelier系统扬声器（第283页）的边缘则被切成了45°的斜角。但是这里提到的这些扬声器，每款设计都可以追溯到L 40这个基本形式。可以说，拉姆斯自推出了SK 4产品，并以其独特的面朝上开启的控制面板和透明亚克力盖板定义了音响产品的经典设计样式之后，通过这款产品，拉姆斯又成功地第二次为音频行业定义了一个通用的基本设计样式。

同系列产品还包括L 40-1（1964）、L 20（1962）。

L 50带支架的低音反射式扬声器，1961年　61厘米 × 65厘米 × 28厘米　　　层压木、铝材、镀镍钢管
迪特·拉姆斯　　　　　　　　　　14千克　　　　　　　　　　　295 德国马克
博朗公司

要获得好音质就需要有一个强大的扬声
器设备。而L 50大型扬声器可以通过不
同的驱动器同时提供低音和高音效果。
同时，它还可以作为底部基座来摆放并
支撑与之组合的音响系统。

同系列产品还包括L 60 和 L 61（1961）、
L 60-4（1964）。

T 52便携式收音机，1961年　　　17厘米 × 23厘米 × 5.9厘米　　　塑料、金属
迪特·拉姆斯　　　　　　　　　1.35千克　　　　　　　　　　　218 德国马克
博朗公司

T 52便携式收音机是对博朗公司1957
年生产的较大的方形transistor 1收音机
（第36页）的换代版本。由于完全使用
了晶体管，所以T 52产品矩形机身的外
壳更薄、更紧凑，而机身上的调频刻度
盘则被移到了上部，以便与控制旋钮对
齐。T 52产品还配有一个可以旋转的横
长手柄，使它可以以一个角度支撑起
来，或者也可以利用这个手柄将它装在
汽车仪表盘的下面。以前机身上的圆形
旋钮之间的距离在这里被拉长了，即使
不用看也能直接动手操作，使用起来非
常方便。这款设备当时获得了巨大成
功，并以此为基础催生了一系列其他的
变形产品。

同系列产品还包括T 54（1961）、T 520、T
521、T 530 和 T 540（1962）、T 510和
T 580（1963）。

atelier 3收音机-唱片机组合一体机,
1962年
迪特 · 拉姆斯
博朗公司

30.1厘米 × 56.6厘米 × 28厘米
15千克

漆木、铝材、玻璃、塑料、橡胶
685 德国马克

这是atelier 1和atelier 2型设备的后续产品,它与RCS 9立体声控制单元(第74页)的设计相同,调频刻度盘经过了重新设计,并去掉了国家名字。此外,这款设备还将1961年生产的PCS 4唱片机(第76页)装在了一个漆木盖的下面。PCS 4唱片机也是SK 6音响系统(第58页)的一个组成部分。

H 3带红外遥控的风扇型暖风机，1962年
迪特·拉姆斯
博朗·埃斯帕尼奥拉（Braun Española）
公司

11厘米 × 29厘米 × 13.5厘米
2.5千克

钢板、钢材、铝材、塑料
89 德国马克

H 3风扇型暖风机是由博朗·埃斯帕尼奥拉公司开发的，它主要是针对西班牙市场而生产的。这款产品虽然延续了1959年的H 1产品（第48页）的基本样式，但是它更窄小，并且将开关按钮设计在机身顶部，从而更醒目。出风口的叶片位于机身的正前面，并且是横向延伸的，它们与机身顶部垂直的进气槽在设计上构成了相互呼应的关系。这些线性的开槽口式样与机身上圆形的开关按钮还形成了对比，从而使产品外观看起来更有趣味性。这款产品可以用红外线遥控器开关。它矩形机身的设计比例，类似于同一时期的博朗高保真音响产品的设计比例。

同系列产品还包括H 31（1962）。

D 20幻灯片投影仪，1962年　　　18厘米 × 24.5厘米 × 16.3厘米　　钢板、铝板、塑料板
迪特·拉姆斯，罗伯特·奥伯海姆　　4.9千克　　　　　　　　　　　　258 德国马克
博朗公司

D 20投影仪是D 40投影仪（第72页）的
变体产品，价格更实惠。它去掉了可伸
缩的幻灯片托盘导轨，所以整体构造更
宽一些，技术上也更简单。这款设备是
在博朗公司的销售部和市场部的要求下
生产的，以便通过较实惠的价格在同类
市场中有更大竞争力。不过，即便在预
算紧缩的情况下，博朗公司在产品设计
上也没有削减开支。在博朗产品的设计
过程中，总是会将销售人员、技术人员
和内部设计人员的三方意见纳入其中。

同系列产品还包括D 21（1964）。

D 10幻灯片投影仪，1962年
迪特·拉姆斯，罗伯特·奥伯海姆
博朗公司

15厘米 × 24厘米 × 8.5厘米
3千克

钢板、塑料
98 德国马克

这款幻灯片投影仪更多地是用于学术和
科学目的，而非私人用途。机身是一个
长方体，机身正面靠近顶部的位置被切
成了带有一定角度的斜面，以指示设备
的前后方向。

D 5 Combiscope幻灯片投影仪/观片器，
1962年
迪特·拉姆斯
博朗公司

14.2厘米 × 16.5厘米 × 8厘米
1.8千克

塑料、玻璃
58.50 德国马克

这款小巧的设备既可用作幻灯片投影
仪，又可用作幻灯片观片器。无论概念
还是在产品语义方面，它都代表了一种
全新的设计方法。机身上灰绿色的可调
透镜可以从浅灰色的机身外壳中向外延
伸出来，这种可伸缩特点也说明了它的
不同应用形式。通过简单地将投影仪
倾斜一个角度，从而以那个带有倾斜
坡度的机身侧面为支撑面，便可以实
现将该设备从水平投影位置转换到45°
投影位置。

同系列产品还包括 D 6（1963）。

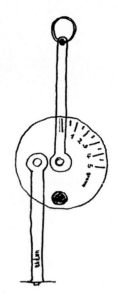

唱针跟踪测压仪，1962年
迪特·拉姆斯
博朗公司

7厘米（根据直径测量）
0.02千克

塑料、钢材
4.50 德国马克

通常来说，高保真唱片机的唱针跟踪力可以用唱臂的内置刻度进行调整。但如果你想检查唱臂上的显示是否正确，并以克为单位测量出准确的重量，那么就需要这款博朗唱针跟踪测压仪。这款既复杂又简单的机械装置是由一个白色圆盘、一个配重的平衡物，以及一个区间为0～8克的红色刻度表组成的，博朗标志在明亮黄色背景的衬托下非常醒目。尽管这款产品很小，但它也真实地反映了拉姆斯的设计方法，即"尽可能地简单，尽可能少地使用设计，尽可能地精确"。

T 41袖珍收音机，1962年
迪特·拉姆斯
博朗公司

8.2厘米 × 14.8厘米 × 4厘米
0.45千克

塑料、亚克力
135 德国马克

这是博朗公司的第三款袖珍收音机，它有着与先前T 4产品（第50页）相同的同心圆形式的扬声器网格罩板，但这款产品的调频窗口则被放大为一个扇形区域，以便能够显示出3个波段的调频范围和超细的指针，进而营造出了一个高精准的技术设备的形象。除了米白色的机身之外，这款设备的极简主义的配色方案中还包括了蓝色开关和红色调频拨轮。为了向这一具有现代标志性意义的系列产品致敬，北爱尔兰的摇滚乐队"拉姆斯的袖珍收音机"，即一个由音乐家彼得·麦考利（Peter J. McCauley）领导的音乐团体，还在2011年发行了一首名为《迪特·拉姆斯有了袖珍收音机》（*Dieter Rams Has Got the Pocket Radios*）的新歌。

audio 1收音机–唱片机组合一体机，
1962年
迪特·拉姆斯
博朗公司

16厘米 × 64.7厘米 × 28厘米
16.5千克

钢板、铝材、塑料、亚克力
1090 德国马克

拉姆斯凭借着将收音机、扩音器和唱片机全部组合在一起的集成方式，将前沿技术带入了20世纪60年代的普通家庭中。但是，audio 1音响系统本身并不属于高科技产品。这款产品的各个元素都是为了实现其功能性而设计的，并融入了当时的美学思想。控制按钮的表面是凹的，以防止手指在按下它们时滑动。这款产品全部使用圆形按钮：大圆按钮用于选择调频波段，小圆按钮用于调节音量、音调和平衡。还有一个可以旋转的带柄开关，被设计为像泪滴一样的形状，它位于相对突出的中心位置上。

在这个泪滴元素中，我们也看到了它在设计形式上与整体产品的矩形外观构成了对比。这与在许多博朗设备上所运用的色彩对比方法类似，即在小圆形主控开关键上运用红色、黄色或绿色等亮色，以使它们与机身整体的单色外观形成鲜明的色彩对比。

这款立体声音响系统的整体设计清晰简洁，比其他样式的德国收音机更能够与当时流行的瑞士产品相媲美。尽管从外观上看，它的铝质外壳、塑料按钮、透明的亚克力盖，以及故意外露的螺钉等元素的组合样式或许过于简朴了，但拉姆斯却成功地运用它们创造出了一种极具审美价值并充分体现现代风格的产品。

与汉斯·古格洛特和赫伯特·林丁格于1957年为博朗公司设计的号称"未来派的宇宙舱"的studio 1组合音响不同，拉姆斯设计的这款audio 1产品可以被视为是一个新时代的表达，是对低价材料进行最佳利用的一个成功尝试。与乌尔姆学院设计的模型机相比，它的每一个部分看上去都更加轻盈明亮。机身外壳的铝板刷了漆，使它有了一个如丝绸般的哑光光泽，所有的塑料部件都是精密制造的，唱臂上那圆润的平衡块给人一种顶级性能的印象，而透光的亚克力盖板则增加了鲜明的轻盈感。

同系列产品还包括audio 1 M（1962）。

PCS 51，1962年 / PCS 5唱片机，1962年
（如图所示）
迪特·拉姆斯
博朗公司

20厘米 × 40厘米 × 32厘米
10千克

钢板、木材、铝、塑料、橡胶、亚克力
546 德国马克（PC 5型号）

这款精密的唱片机是第一台专门为满足
高保真标准而开发的博朗音响设备，而
同时期其他的博朗音响单元机都还只
是在升级更新阶段。在这款产品设计
中，拉姆斯创造了一个基础样式，并以
此定义了所有后续的博朗高保真设备的
款式：机身呈边缘光滑的方盒状，所有
控制按钮都在机身顶部，机身上带有一
个大唱片托盘和一个透明的亚克力防尘
盖。像这款产品所展现的一样，这些早
期音响产品的亚克力盖只能向两个方向
弯折，因此最开始亚克力盖板的侧面都
是开口的。后来，直到在防尘盖的生产
中使用了热注塑成型技术，才使这个盖
板的四面都能完全闭合。

PCS 52型号产品配备了一个由英国SME
公司生产的高性能3009型唱臂，以及
一个抗滑的反作用力调整旋钮及其附属
的平衡元件。

同系列产品还包括PCS 52、PCS 5 A 和
PC 5（1962）、PCS 5-37（1963）、PCS
52-E（1965）。

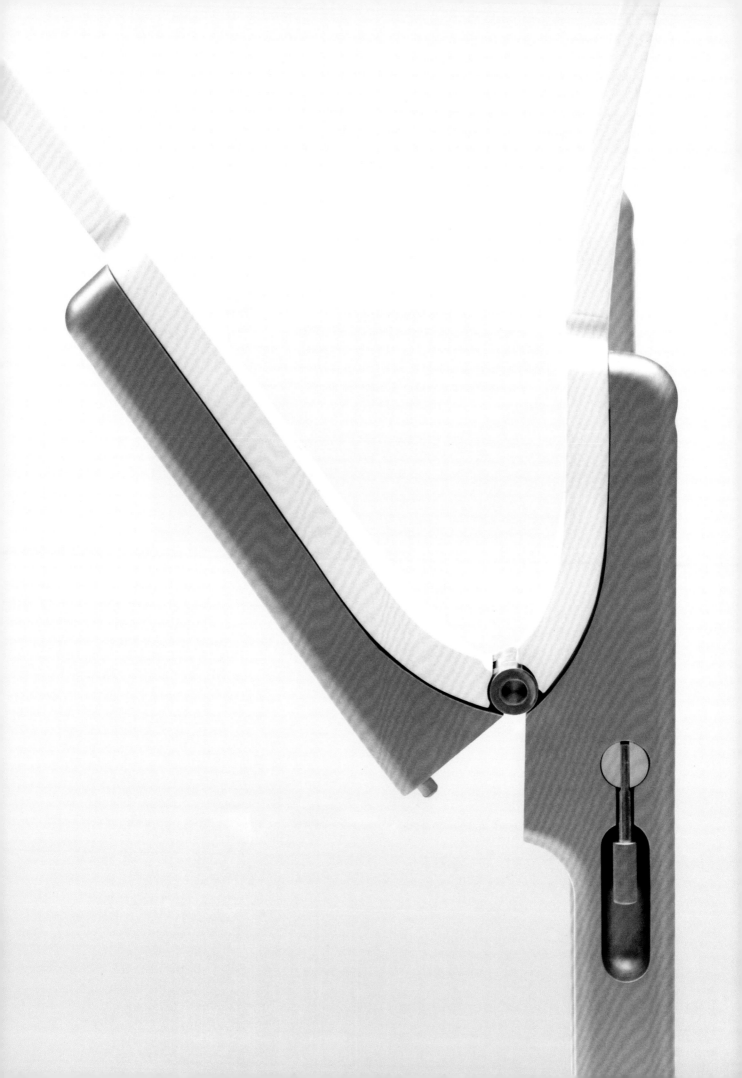

一款折叠椅的原型品，1962年　　　　尺寸和重量未知　　　　　　　　压铸铝、塑料
迪特·拉姆斯　　　　　　　　　　　　　　　　　　　　　　　　　　　未出售
维瑟与扎普夫伙伴公司

1962年，拉姆斯为维瑟与扎普夫伙伴公
司开发了一款两条腿的、座位可以翘起
来的椅子。这款座椅的特点是可折叠，
并且可以将几把座椅横向连接在一起，
从而组成一个长排座椅。这款椅子折叠
后非常便于收纳，该家具公司当时还构
想了可以把椅子挂在墙面上的壁挂式固
定配件。这款产品的构造方式与1967年
拉姆斯为博朗公司开发的一款带悬臂的
桌架产品类似（第145页）。然而，由
于维瑟与扎普夫伙伴公司无法解决椅子
折叠后所造成的各种损坏问题，因此这
款产品未投入批量生产。

622椅子方案，低靠背模型产品，1962年
迪特·拉姆斯
维瑟与扎普夫伙伴公司/维瑟公司

78厘米×55厘米×55厘米
12千克

玻璃纤维、泡沫、皮革或织物、压铸铝
286～698德国马克（1980年起的价格）

对于一把设计优良的座椅来说，其座椅
的硬度应该可以提供一个符合人体工程
学的令人信服的乘坐舒适度。就这方面
来看，拉姆斯设计的622椅子是成功的，
它是特别适合用来搭配书桌的座椅。出
于对经济成本的考虑，这把椅子的框架
结构采用了相对较重的材质，如果使用
较轻的金属合金材质，其价格将会是当
前价格的2倍。

620（RZ 62）椅子方案，带脚凳的高靠
背模型产品，1962年
迪特·拉姆斯
维瑟与扎普夫伙伴公司/科隆sdr+家具公
司/维瑟公司

92厘米 × 66厘米 × 79厘米
大约50千克

山毛榉、金属、片状模塑料、皮革或
织物
1960～2080 德国马克（1973年起的价格）

拉姆斯除了为维瑟与扎普夫伙伴公司设
计了606通用搁架系统（第65—69页）
之外，他自1961年开始又为该公司设
计椅子系统。拉姆斯从20世纪早期赫里
特·里特费尔德（Gerrit Rietveld）和
马特·斯特蒙（Mart Stam）设计的矩
形家具，以及20世纪中期美国设计师
查尔斯（Charles）和雷·埃姆斯（Ray
Eames）的设计中获得灵感，以一系
列柔软的立方体设计了这套620椅子方
案。这是一款非常舒适的扶手椅，基
本构成包括一个木制框架和一个带有弹
簧圈的内芯，它们被包裹在玻璃纤维增
强的塑料外壳中。座椅和靠背用羽绒填
充，椅子的最外层则用织物或皮革进行
包裹。

椅子前面的球形脚轮和后面的支脚设计
使该扶手椅更易于挪动和固定。此外，
还可以给这款椅子安装一个可旋转的基
座，即把它安装在一个带有阳极氧化铝
材质底板的滚珠轴承转盘上，这样就可
以使椅子自由地朝向各个方向旋转。通
过拆卸座椅的扶手，并用连接支架将几
把椅子连在一起就可以组合成任意长度
的沙发。换句话说，用几把椅子就组合
成了一个完全模块化的家具系统。620
产品是一款在设计中充分考虑到了空间
功能性与用户实际需求的家具。1973
年，围绕着这把椅子曾经产生了一场法
律纠纷，最终德国联邦法院授权保护这
把椅子的艺术版权，并将其认定为是一
件艺术品。

620（RZ 62）椅子方案，低靠背模型产品，1962年
迪特·拉姆斯
维瑟与扎普夫伙伴公司/科隆sdr+家具公司/维瑟公司

77厘米 × 66厘米 × 79厘米
大约 45千克

山毛榉、金属、片状模塑料、皮革或织物
1770～1870德国马克（1973年起的价格）

除了620系列的高靠背扶手椅之外，拉姆斯还设计了低靠背椅子，并且这两款椅子的靠背还可以互换。在更换椅背时，必须松开椅子两侧两个特殊的平头螺钉。这些类似"猪鼻子"的平头螺钉与1956年T 3袖珍收音机（第42—43页）中使用的螺钉类型相同。这也为我们提供了另一个例子，可以从中看出拉姆斯将这种设计细节从一款产品完美地转移到另一款产品上的高超能力。特殊的平头螺钉不仅具有技术用途，也增加了产品的功能美感。今天，这两款椅子都由维瑟公司重新生产。

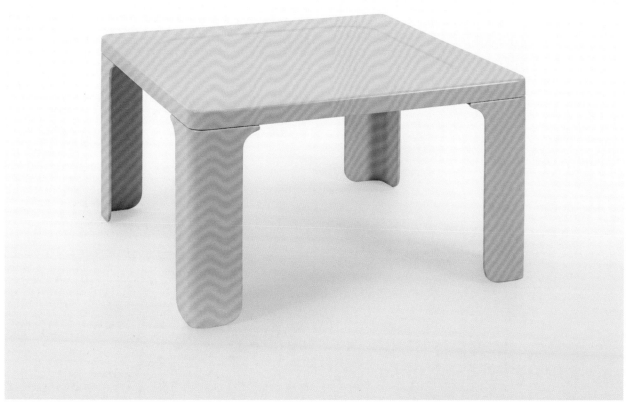

620桌子，大约1962年
迪特·拉姆斯
维瑟与扎普夫伙伴公司/维瑟公司

37.5厘米 × 65.5厘米 × 65.5厘米
8千克

塑料
1145～1190 德国马克

这款扁平的咖啡桌是为搭配620椅子方案（第94—95页）而设计的。这款桌子由几个塑料部件组成，桌子表面的凹痕设计与621凳子/边桌（下页）相同。在组装的时候，可以直接将支腿插入桌板下面对应的插口中。这款桌子的宽度和长度设计也与620椅子系列相同，可以直接插入两把620扶手椅之间，也可以单独作为一个小边桌放在房间的角落里。

621边桌/嵌套桌/凳子，1962年
迪特·拉姆斯
维瑟与扎普夫伙伴公司/维瑟公司

大号：45厘米×52.5厘米×32厘米
小号：36厘米×46.5厘米×30厘米
大号：5.5千克
小号：4.5千克

塑料
大号：190 德国马克
小号：175 德国马克

621边桌是拉姆斯620椅子（第94—95页）的天然配套产品。这款"U"形家具的上表面是平整的，侧面有凹陷。这个凹陷设计也体现了在1960年设计的601 / 602边桌兼搁脚凳（第64页）上采用的凹陷样式。由于这款椅子内侧增加了横梁支撑，因此它的3个侧壁可以更薄一些，从而形成更宽的椅子内径。这款家具在制造时采用的是注塑成型技术，因此整体结构比较轻巧、稳固。同时，它还配有可调节高度的螺旋支脚，以使它在不平整的地板上能保持稳定。这款家具最初是由维瑟与扎普夫伙伴公司于1962—1995年制造的，2014年它由维瑟公司再次重新生产。此外，它还可以作为配套的嵌套桌来使用。

拉姆斯通过设计这款桌子兼凳子的家具，延续了马塞尔·布劳耶的钢管嵌套桌（1925—1926），以及乌尔姆学院的马克斯·比尔和保罗·希尔丁格开发的乌尔姆凳子（1954—1955）的传统设计形式。但是，这款家具在塑料材质的应用方面却创造了一个独特且令人信服的方式。其中，大号的桌子还可以侧翻过来，作为与沙发或床配套的托盘桌。

壁挂式音响系统，1962年
迪特·拉姆斯

28厘米 × 136.2厘米 × 10.5厘米
多种重量

钢板、铝板、塑料板
关于更多的规格参数，请参见具体型号

在20世纪60年代中期的德国，把音响设备像艺术品一样安装在墙上很少见，但后来铂傲（Bang & Olufsen）等知名音响品牌制造商采用了这种方式。在这个组合系统中的博朗高保真单元机，即L 45扬声器（第100页）、TS 40扩音器/调谐器（第101页）和TG 60磁带播放机（第132~133页），也可以单独摆在桌子或架子上。但只有将它们组合在一起安装在墙面上时才能彰显出这套产品的独特魅力。这种音频产品设计的模块化方法是由乌尔姆设计学院的赫伯特·林丁格和汉斯·古格洛特在1959年为博朗公司开展的一项研究报告中提出的，该研究报告是《在日常生活中的视听信息存储和传输设备的模块化设计》（ *A Modular Design for Acoustic and Visual Information Storage and Transfer Devices in Living Quarters* ）。但该研究项目只专注于整体模块系统的创造，而没有具体设计各个单元机。于是，拉姆斯便从1960年开始投入开发了这样一套音响组合系统，并依次设计了该组合系统中的每个单元机。

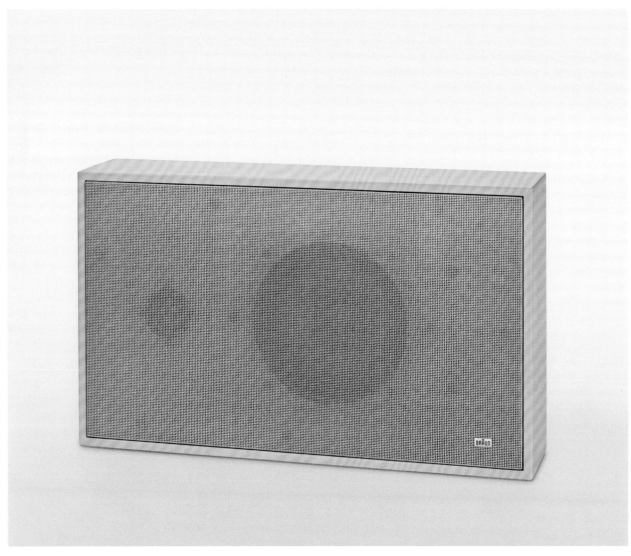

L 45，1962年 / L 450扬声器，1965 年
（如图所示）
迪特·拉姆斯
博朗公司

28厘米 × 47.2厘米 × 10.5厘米
6千克

层压木、阳极氧化铝
267 德国马克

拉姆斯对系列扬声器产品的设计进行了
调整，使它们能够与TS 40扩音器/调谐
器（下页）的扁平样式匹配，进而可以
将这样的一对扬声器与对应的集成设备
一起安装在墙面上，最终构成一款3联
组合机。而在1965年投入生产的L 450
型扬声器，以每批22000台进行批量生
产，这个产量令人印象深刻。

同系列产品还包括L 25和L 46（1963）、
L 450-1（1967）、L 450-2（1968）、
L 470（1969）、L 310（1970）。

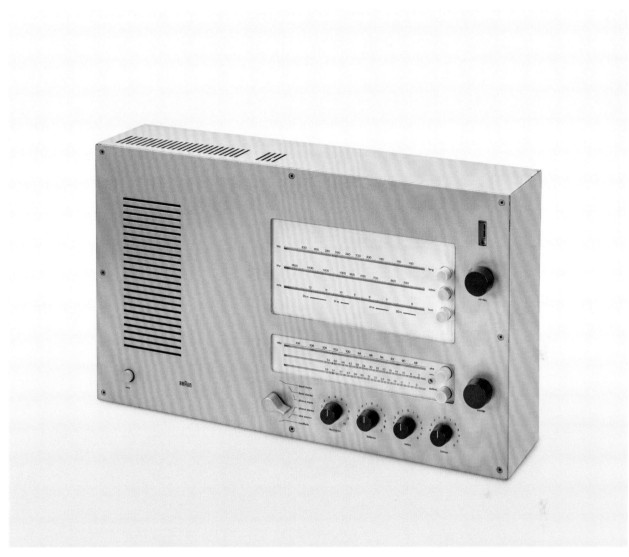

TS 40，1962 年/ TS 45扩音器/调谐器，
1964年（如图所示）
迪特·拉姆斯
博朗公司

28厘米 × 47厘米 × 10.5厘米
11千克

钢板、铝板、塑料板
1145 德国马克

就技术性能和设计形式而言，TS 40和
TS 45两款扩音器与调谐器的集成一体
机是从audio 1音响系统（第88页）上
分离出来的设备。机身左侧的通风槽口
从设计形式上平衡了设备的整体比例关
系，并使它与之前的形式有了明显的不
同，而其浅绿色的电源按钮在所有后来
的博朗音频设备上都有。这款产品以每
批4200台进行批量生产，它可以直接
摆放在架子或其他台面上。TS 45型设
备还可以安装在墙面上，成为拉姆斯设
计的壁挂式音响系统（第98—99页）的
一部分。

sixtant SM 31电动剃须刀，1962年
格德·穆勒，
汉斯·古格洛特
博朗公司

10厘米 × 7.3厘米 × 3.4厘米
0.31千克

塑料、金属
94 德国马克

1960年，格德·穆勒离开博朗公司以后，博朗公司的工程师又开发出了一种极薄的剃须刀刀片，上面有微型六角形的蜂窝孔洞，因此他们需要再设计出一款剃须刀来与这款刀片配套。从穆勒设计的SM 3电动剃须刀（第59页）开始，汉斯·古格洛特就将博朗剃须刀的传统白色外壳换成了拉丝的黑色外壳，并为剃须刀头设计了哑光镀铬饰面。这与20世纪五六十年代早期卫浴产品设计中常用的那种类似医疗保健品的白色方案是完全不同的。这款产品的配色方案兼顾了功能性和美观性。博朗公司大约生产销售了800万个SM 31产品。

FS 1000便携式电视机的原型机，1962年
迪特·拉姆斯
博朗公司

37.5厘米 × 30厘米 × 25.5厘米
6千克

铝材、塑料、玻璃
未出售

拉姆斯开发的T 1000世界波段收音机（第106页）在1963年上市销售。他在开发T 1000收音机的同时还开发了一款便携式电视机。与他的第一款世界波段收音机的原型机（第104—105页）一样，拉姆斯也选择了一个垂直的矩形盒子作为这款产品的基本形状。这款电视机的扬声器被设计在显示器的上方，而控制装置则被设计在显示器的下方。机身上的4个旋钮开关和2个滑动开关让这款电视机的操控变得非常简单。当时的联邦德国只有两个电视频道——ARD和ZDF，到了1964年才增加了第三个电视频道。

这款电视机的阴极射线管在机身正前方略微凸起，因此屏幕向外鼓起，这一外观特征后来反而成为博朗落地电视机的标准配置。

在这款产品中，电视机屏幕不再像许多竞争产品那样用安全玻璃罩住，而是在黑色边框的包裹下完全突显出来。这种设计美学与一种摄影风格是相似的。在这种摄影风格中，整个胶片的底片都可见，有时甚至连胶片的底片两侧的齿孔也是可见的，这样处理可以表明该照片没经过后期修改。与此类似，这款电视机屏幕周围的框架也传达出这样一条信息：这不是一个进入世界的真实窗口，而是运用科学技术展示的一个信息世界。

在这款设计中，另一项体现了对T 1000收音机的设计的肯定的就是这款电视机的扬声器网格罩是由细孔板做的。这款电视机还附带一个铝质的盖子，在运输过程中可以直接盖在电视机上起保护作用。

这个铝盖内部还带有一个暗格，用来存放产品操作说明书。不幸的是事实证明FS 1000产品与当时的技术相比过于超前：长显象管导致这款便携式电视机的背面出现一个隆起，影响美观，这使得该公司管理层不愿意再继续开发该项目。不仅如此，博朗公司的管理部门在开拓便携式电视机市场方面也进展缓慢，而其他竞争对手却很快抓住了这个机会。

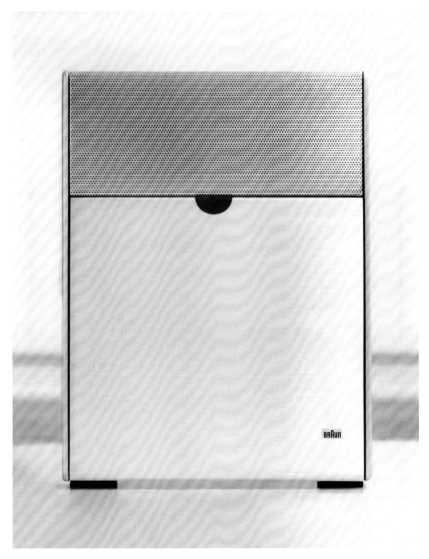

T 1000世界波段收音机的原型机，1962年　　未知规格
迪特·拉姆斯　　　　　　　　　　　　　未出售
博朗公司

在20世纪60年代早期，欧文·博朗提出了"大设计（Grand Design）"的概念，指电器设备的高端设计和先进技术，T 1000产品便是响应这一倡议的直接结果。在当时，美国已经有了世界波段的无线电收音机，如1957年研发的可以接收越洋信号的"真力时（Zenith）"收音机。但"真力时"主要是为陆军生产的，以方便军人们在执行国际任务时收听国内广播。使用短波无线电收音机作为接收世界各地新闻的一种手段，在当时也受到了无线电爱好者的欢迎。

在博朗世界波段收音机的研发过程中，公司不遗余力地投入了大量资金，因此拉姆斯在技术和设计开发，以及材料的使用方面都获得了公司管理层给予的自由支配权。

在设计 T 1000世界波段收音机的同时，拉姆斯还设计了一款便携式电视机，即FS 1000产品（第103页）。在这两款设备的设计中，为了产品能够竖着摆放，扬声器部件均安放在机身正面的上部位置。T 1000和FS 1000原型机的设计草图及照片被保存在拉姆斯档案中，其中一台电视机的原型样机收藏于法兰克福应用艺术博物馆。遗憾的是最早的收音机原型样机却并没有被保存下来。

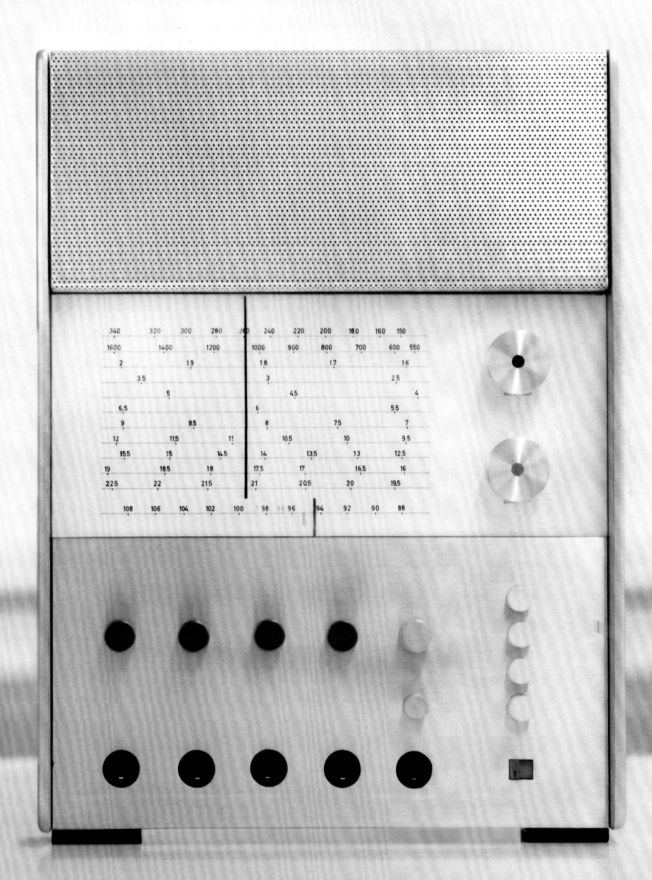

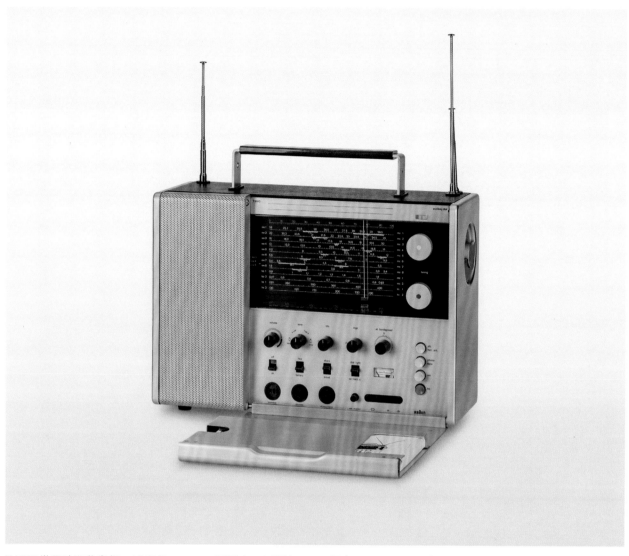

T 1000世界波段收音机，1963年　　　25厘米 × 36厘米 × 13.5厘米　　木材、阳极氧化铝、人造革、塑料
迪特·拉姆斯　　　　　　　　　　　7千克　　　　　　　　　　　　　1400 德国马克
博朗公司

到了20世纪60年代初，联邦德国逐渐摆脱了因纳粹政权和第二次世界大战造成的孤立局面。T 1000收音机在当时可以作为彰显世界主义和社会活力的代表产品。它的设计是适合那个时代的，并且后来成为体现拉姆斯设计风格的一款经典作品。这款收音机像一个简单的、带有铝制面板的木盒子。打开铰链式的铝制面板之后，露出一个精致的操控界面，上面有醒目的黑色调谐刻度盘及一系列操控旋钮、开关和连接插口。这个复杂的操控界面刚好与朴素的铝制面板在外观上构成了鲜明对比。

从形式上讲，拉姆斯对这款产品各个方面的设计都强调了其功能性：频波段的操控方式是通过统一为红色方案的"红色电源按钮、带红点的调频旋钮，以及

调频刻度盘上的红字"来指示的；所有控制元件在机身布局上排列清晰，逻辑合理，尺寸也非常合手；机身侧面的波段旋钮开关看起来非常结实耐用；而产品操作手册被放置在正前方铰链铝制面板内侧一个暗藏的小格子中。大面积且精细的比例设计传递出了这款设备所具有的精确性，而机身上精准的元件布局和清晰的编号更体现了产品的精巧构思。尽管这款产品技术和功能均复杂，但拉姆斯依然在设计中成功地实现了高度的优雅性和美学品质。

在关上T 1000设备正前方的铝制盖板时，从视觉效果上就已经展现出了40年后苹果产品的当代设计美学特点。

这款收音机由首席工程师约阿希姆·法伦霍尔茨（Joachim Fahrendholz）和设计工程师哈拉尔德·豪彭伯格（Harald Haupenberger）合作设计，它代表了德国设计制造成就的巅峰。由于这款收音机在当时被德国大使馆作为国家设计和技术创新的典范产品进行推广，使许多德国大使馆的需求订单不断增加，所以在生产了第一批11300台设备之后，博朗公司将该设备原来的手柄更新为皮革材质的手柄，并于1968年重新以T 1000 CD型号销售。

同系列产品还包括：N 1000 power supply unit（1963）、T 1000 CD（1968）。

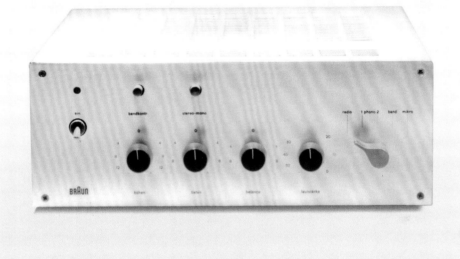

CSV 10，1962年 / CSV 12扩音器，1966年　　10厘米 × 28.5厘米 × 28.2厘米　　钢板、铝板、塑料板
（如图所示）　　　　　　　　　　　　5.8千克　　　　　　　　　558 德国马克
迪特·拉姆斯
博朗公司

这是博朗公司的第一个采用晶体管技
术生产的扩音器，其技术灵感来自于
audio 1紧凑型音响系统（第88页），但
它的设计和结构则是基于前一年的CSV
13真空管扩音器（第75页）开发的。虽
然性能还不能与同在1962年发布的CSV
60真空管扩音器相媲美，但它确实采用
了在audio 1中首次亮相的优雅的泪滴状
旋转柄开关，并去掉了audio 1上面与收
音相关的调频滑动拨钮。

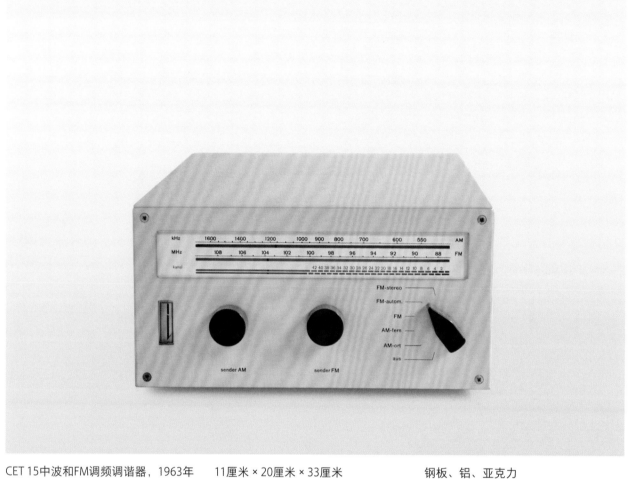

CET 15中波和FM调频调谐器，1963年
迪特·拉姆斯
博朗公司

11厘米 × 20厘米 × 33厘米
4.5千克

钢板、铝、亚克力
568 德国马克

这款调谐器也来自拉姆斯的模块化高
保真产品系列，它与CSV 10扩音器（第
107页）类似，也具有工业产品的外观：
机身前面板上的可见螺钉是设计美学的
关键部分，三角形的开关旋钮则复现了
旧版CSV 13设备（第75页）上的开关样
式。这类几何图形会让人联想起精密的
技术测量仪器。这是第一款由博朗公司
高调推广的FM自动调频设备。

同系列产品还包括CE 16（1964）。

SK 55单声道收音机-唱片机组合一体机，
1963年
迪特·拉姆斯，汉斯·古格洛特
博朗公司

24厘米 × 58.4厘米 × 29.4厘米
11.5千克

金属、塑料、亚克力、榆木
438 德国马克

这是博朗公司"白雪公主的棺材"系列
的最后一款产品，是一台单声道设备，
功率为3瓦。SK 55产品与之前SK系列产
品一样，也是由拉姆斯负责重新设计
的。这款设备的唱片机部分有一个由弯
曲的轻量型铝质唱臂和一个大石墨色橡
胶托盘，并配有相应的开关和旋钮。此
外，拉姆斯还改变了唱速选择开关键的
设计。整台设备上只有调谐器的旋钮是
白色的，上面还添加了一个红点，用来
突出并呼应与其功能有关的调谐刻度盘
上的红色刻度。SK系列的各种型号产品
加在一起共生产了约7万台。

45

33

16

PS 2唱片机，1963年　　　　　10厘米 × 31厘米 × 22.5厘米　　　钢板、铝材、塑料、橡胶
迪特·拉姆斯　　　　　　　　　2.5千克　　　　　　　　　　　　98 德国马克
博朗公司

这款PS 2唱片机是博朗公司的最后一款
小型唱片机，它可以集成到SK 55系统
（第109页）和TC 20音响系统（第112页）
中，也可以作为一个独立的设备用于销
售。PS 2唱片机与博朗公司的一些大型
唱片设备不同，它的结构更加轻巧，但
仍然保留了人们熟悉的盒子状外形。该
产品以每批2900台进行批量生产。可
以说，在博朗公司早期唱片机产品系列
中，PS 2产品无疑是外观最顺滑和最优
雅的了。

TC 20立体声收音机-唱片机组合一体机，
1963年
迪特·拉姆斯
博朗公司

14.5厘米 × 52厘米 × 24厘米
9千克

钢板、铝材、塑料、橡胶、亚克力
795 德国马克

1963年，博朗公司开发了一款更小巧
且功率更低的收音机-唱片机组合一体
机，并把它作为上一年开发的audio 1
产品（第88页）的低价替代品。TC 20
设备和PS 2唱片机（第110—111页）有
一个共同特点，即作为一个独立单元机
出售。这款设备需要安装一个额外的解
码器用于接收立体声信号。与audio 1设
备的机身外壳所使用的铝板材质不同，
TC 20机身顶部外壳为钢板材质。同时，
audio 1设备上经典的泪滴形旋钮开关在
这里也被换掉了，因为使用这种特殊形
式的设计元素的最初目的就是作为区分
顶级设备和一般设备的标志。

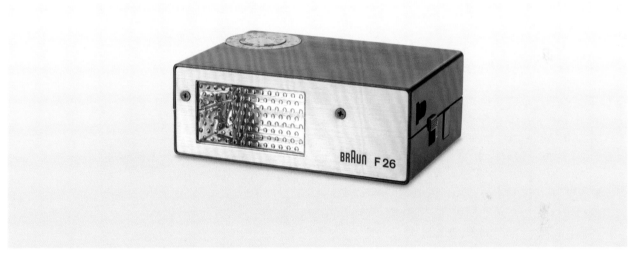

F 25 hobby电子照相机闪光灯，1963年　　4厘米 × 10.5厘米 × 8厘米　　　　塑料、金属
迪特·拉姆斯　　　　　　　　　　　　0.25千克　　　　　　　　　　　　195 德国马克（F 26）
博朗公司

自1953年博朗公司的第一款闪光灯装置"the Hobby de Luxe"问世以来，摄影器材销售已成为该公司蓬勃发展的支柱领域。但博朗公司之前设计的产品依旧是在模仿市场上早期的那种带镁光灯的闪光灯设备。而随着电子闪光灯的出现，以及20世纪60年代早期电子设备的日益小型化，设计出一款新的紧凑型一体式设备便成为可能。拉姆斯最初设计的闪光灯设备呈立方体，它可以直接用蹄形安装螺栓安装在相机上（第61页）。但很快他设计的闪光灯设备就逐渐演变成了一个长方体盒子，而该样式在不久之后也成为博朗产品的标准样式。

同系列产品还包括F 26 hobby（1963）。

FA 3双8摄影机，1963年
迪特·拉姆斯，理查德·菲舍尔
（Richard Fischer），罗伯特·奥伯海姆

博朗-尼佐联合公司（Braun Nizo）
14.9厘米 × 21.5厘米 × 6.5厘米
1.5千克

金属、塑料、人造革
798～1098 德国马克

1962年，博朗公司收购了著名的慕尼黑相机制造商"尼佐尔迪与克鲁默（Niezoldi & Krämer）伙伴公司"。与此同时，博朗公司在法兰克福的工厂则对该公司的产品进行了重新设计。在此之前，尼佐相机依然沿袭着20世纪30年代的工业美学，机身上设置了许多令人困惑的调控旋钮。而法兰克福的博朗设计师简化了该款产品的用户界面，并选择了银色漆金属质与黑色仿皮或塑料材质相结合的机身外壳。FA 3产品便是将银色金属与黑色仿皮相组合的经典款，不过此前这种材料组合方法已经被博朗设计师赖因霍尔德·韦斯（Reinhold Weiss）应用在1961年的HT 1烤面包机和1962年的sixtant SM 31剃须刀中（第102页），并成为许多博朗产品的一个极其重要的设计特点。

这款FA 3摄影机与上一代产品（左上图）一样也是为双8毫米胶片而设计的。这种胶片是指用一条宽16毫米的胶片拍摄，拍摄时画面只占据胶片的一半位置。最后在洗相片的暗室中将胶片从中间裁开，得到两条8毫米胶片。这款设备带有一个可以卷绕的伸缩驱动装置，并由一个部分可伸缩的手摇曲柄来操控。FA 3设备还配备了非常时尚的Variogon变焦镜头，它由位于德国巴特·克罗伊茨纳赫（Bad Kreuznach）的信乃达公司（Jos. Schneider Optische Werke，现名为Schneider Kreuznach）生产。

EA 1 electric电动双8摄影机，1964年
迪特·拉姆斯，理查德·菲舍尔
博朗-尼佐联合公司

9.5厘米 × 23.7厘米 × 6厘米
1.3千克

铝材、塑料、人造革
698 德国马克

这是一款新型的配备了电动机的摄影
机。它的线条流畅且外观时尚，并在后
来几乎定义了所有后续"博朗-尼佐"
产品的基本形状和结构：一个长而扁的
矩形盒子，带有一个集成的折叠手柄。
它有一个沉重的压铸铝材质的外壳，机
身两侧是黑色的仿皮革材质，半圆形的
胶片帧数计数显示窗口则采用了与之前
产品相同的样式（上页）。这款EA 1产
品是为普通用户设计的摄影设备，并不
要求使用者具备专业技术背景，它的自
动曝光功能意味着使用者只需对产品
进行微调就可以使用了。在此之后开
发的设备则采用了新的"超8"摄影胶
片，并将机身两侧换成了更轻材质的铝
质侧板，后来的新款设备大部分由罗伯
特·奥伯海姆设计的。

奥伯海姆在EA 1相机的基本形状和结构
的基础上设计出来的Nizo S 8超8摄影机
（第135页）从1965年起便成为所有后
续博朗摄影机的最终样式和材料美学的
模板，只有少数几款例外产品使用了全
黑色的机身配色方案。1970年4月，尼
佐公司正式并入博朗品牌，但博朗公司
随后在1981年年底又再次将它出售给了
博世（Bosch）公司，而博世公司则很
快就解散了它。

HTK 5冰箱，1964年
迪特·拉姆斯
博朗公司

47.5厘米×53厘米×60厘米
18千克

钢板、铝板、塑料板
价格未知

这款小冰箱是在博朗销售部想要开拓新产品领域的理念下诞生的。拉姆斯只参与了很少的一部分设计方案，主要是冰箱门把手和通风槽的设计。但不久后，博朗公司就停止了该系列产品的销售。

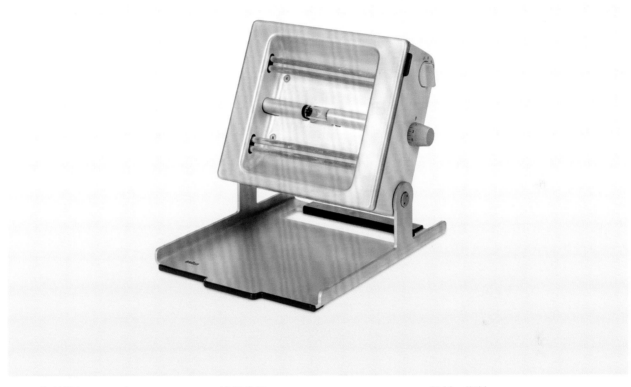

HUV 1红外线灯，1964年
迪特·拉姆斯，赖因霍尔德·韦斯
迪特里希·卢布斯

博朗公司
6.7厘米 × 16.8厘米 × 20.5厘米
0.95千克

铝材、塑料
129 德国马克

这是一款创新的"太阳灯"，其设计目
的主要是用于运输。当它折叠起来时，
底部的托架还可以变成一个带有集成手
柄的外盖。在这款产品设计中，拉姆
斯选择了与1958年T 3袖珍收音机（第
42—43页）和1962年620 椅子系列（第
94—95页）相同的很有特色的"猪鼻子"
螺钉。这款红外线灯的控制旋钮也参考
了在早期博朗产品上使用的旋钮样式。

EF 300电子照相机闪光灯，1964年
迪特·拉姆斯
博朗公司

动力源部分：
14.2厘米 × 19.3厘米 × 5.9厘米；
闪光灯头部分：
22厘米 × 9.8厘米 × 9.8厘米
总重：2.5千克

塑料、玻璃
368～498 德国马克

这款闪光灯是为半专业用户设计的。为了实现高强度的输出功率，闪光灯的灯头要连接到一个体积更大的外接动力源上，而这个动力源部分的体积和形状几乎与1958年的EF 1产品（第46页）完全相同。带有手柄的闪光灯灯头通过一根电线连接到动力源上。这根电线可以伸缩，因此使用者能够将闪光灯的灯头拉远一些，从而增加拍摄的灵活性，这一点对于新闻摄影人员来说特别有用。

FP 1超薄电影放映机，1964年　　　16.9厘米 × 29厘米 × 12厘米　　　金属、塑料
迪特 · 拉姆斯，罗伯特 · 奥伯海姆　　4千克　　　　　　　　　　　　　　　546 德国马克
博朗-尼佐联合公司

博朗公司除了有摄影机之外，还生产和销售电影放映机。FP 1产品是博朗公司生产的第一款电影放映机，它是由拉姆斯和罗伯特·奥伯海姆共同设计的。不过，此后的所有型号都主要由奥伯海姆开发设计。在博朗公司中，拉姆斯作为领导者通常会与设计团队的同事合作开发一些新产品，然后再将这个项目交给他们来管理。FP 1产品采用了博朗公司独特的设计样式：开槽出风口的格栅、突出的黑色长柄旋钮开关、同样富有亮点的黑色镜头。在机身上用户操作界面一侧的按键区域被清楚地划分为几个垂直版块。不过，这款产品的外壳并没有采用全封闭样式。而此后不久，全封闭外壳成为博朗投影仪产品的标准配置。

同系列产品还包括FP 1 S（1965）。

FS 80黑白电视机，1964年　　　66.5厘米 × 59厘米 × 37.5厘米　　　层压木、塑料、铝材
迪特·拉姆斯　　　　　　　　　35千克　　　　　　　　　　　　　1590 德国马克
博朗公司

这款电视机无论摆放在桌子上还是放在　　同系列产品还包括FS 80-1（1965—1966）。
独立支架上，它的弧形屏幕都鲜明地展
现了其前代产品的设计特点，即1962年
的FS 1000原型机（第103页）的特点。
扬声器和控制装置位于屏幕下方的面板
上，扬声器网格的开槽口也同样位于下
方的面板上。FS 80产品延续了1955年
汉斯·古格洛特为博朗公司设计的第一
款电视机样式，外壳采用了可见的木质
机箱，使其呈现出优雅而清晰的外观轮
廓，这样的设计几乎可以媲美意大利的
设计行业［如（Olivetti）等公司］在
20世纪60年代倡导的"好设计"文化标
准。FS 80产品以每批3000台进行批量
生产。

audio 2高保真收音机–唱片机组合一体
机，1964年
迪特·拉姆斯
博朗公司

16厘米 × 64.7厘米 × 28厘米
18千克

钢板、铝材、塑料、亚克力
1590 德国马克

这款博朗公司出品的audio 2音响系统有
一个完全重新设计的带有一个大唱片托
盘的唱片机。唱片机部分从1965年起
则作为一个独立型号的PS 400产品（第
128页）开始对外销售，它将所有元件
都集成到一个铝盒子中，而这一特性也
成为后来博朗音频设备的标准样式。对
于audio 2设备，虽然其前身产品audio 1
（第88页）在唱片机部分的设计中仍然
沿袭了SK 4系列的设计风格，但是这款
audio 2设备却对唱片机部分进行了重
新设计，这是一个相当大的进步。同
时，在制造产品的时候，这款设备的电
线被收纳在机身底座的凹槽中。这样当
设备直立起来之后，人们从机身后面就
看不到裸露的电线了。

此后，"audio" 系列中的每一个后续产
品型号，从audio 2/3到audio 310型产
品，从外观上都只是在audio 2的基础
上进行了细微的设计调整，但在技术性
能方面则都有所改进。

博朗紧凑型音响系统的生产一直持续到
了1973年，产量曾一度高达每批16400
台（audio 310）。1970年，《唱片机形式》
（Phono Form）杂志将该系列产品描述
为 "博朗公司的Audio产品：德国高保
真行业的大众甲壳虫"。不过，这套音
响系统的价格却只有甲壳虫汽车的1/3。

同系列产品还包括audio 2/3（1965）、
audio 250（1967）、audio 300（1969）、
audio 310（1971）。

HZ 1房间温控器，1965年 10.5厘米 × 6厘米 × 3厘米 钢板、塑料、亚克力
迪特·拉姆斯 0.2千克 34 德国马克
博朗公司

拉姆斯设计了这款小巧的房间温控器，
它是与风扇型暖风机一起搭配使用的。
它的上下两端都有垂直的槽口，还有一
个带半圆形刻度指示的旋钮开关。在这
款温控器的帮助下，一旦室内有了足够
的热量，用户就可以果断地关闭一些高
耗能的取暖电器了。

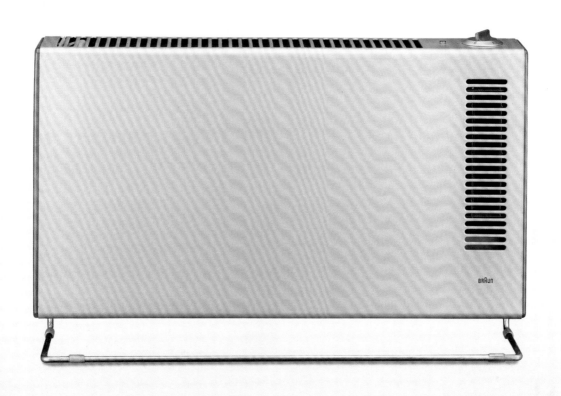

H 6对流型暖风机，1965年　　　　40厘米 × 64厘米 × 16厘米　　　　钢材、铝材、塑料
迪特·拉姆斯，理查德·菲舍尔　　　7千克　　　　　　　　　　　　　194 德国马克
博朗公司

这款暖风机是硕大型的、立式长方体设
备，其机身内有两个加热系统。首先，
它可以用作对流的暖风机，通过顶部的
开槽出风口释放热量，其功能类似于散
热器，可以让热量在整个房间内循环。
同时，它也可以用带有切向鼓风机的风
扇加热器向正前方吹出热空气，这是更
直接的热源。这款暖风机可以利用自带
的悬臂支架抬起一定的高度，不需要添
加支撑腿，这个支架还可以将暖风器的
进气口安放在机身下方，这样的设计使
它看起来略微离开了地面一些。

KM2 Multiwerk厨房电器系统，配有 KMZ 2柑橘榨汁头和KMK 2咖啡研磨机附件，1965年

迪特·拉姆斯，理查德·菲舍尔 博朗公司 不包含附件的情况下： 16.2厘米×19.2厘米×9.7厘米 1.3千克

塑料、金属 198 德国马克

KM2 Multiwerk厨房电器系统是依照阿图尔·博朗的建议开发设计的，阿图尔希望能够用它来替代博朗公司那些更大的厨房电器，即1957年开发的KM 3（第35页）产品。这款产品将手持搅拌机与破壁机集成在一起，它是一款多功能入门级厨房产品，适用于小家庭。它的组成部件包括圆柱形机身、搅拌机头与破壁杯。圆柱形机身内是电机和变速箱，搅拌机头与破壁杯则可直接安装在圆柱形机身上面。

装剃须刀清洁液的瓶子，1965年
迪特·拉姆斯
博朗公司

13.8厘米 × 5.5厘米（直径）
0.15千克

玻璃、塑料
4 德国马克

为剃须刀清洁液设计一个瓶子听起来可能是微不足道的小项目。但在拉姆斯的这个设计方案中，瓶盖和玻璃瓶身之间无缝衔接，再加上左对齐的文字，使这个小瓶子有一种简洁明快的魅力，并使它完美地匹配了博朗剃须刀系列产品的设计风格。

F 200，1965年 / F 100电子照相机闪光灯，1966年（如图所示）
迪特·拉姆斯
博朗公司

9.5厘米 × 3.3厘米 × 7厘米
0.27千克

塑料、金属
195 德国马克

F 200产品是博朗照相机闪光灯系列的最新一代产品，它将闪光灯的灯头从原来的水平方向改为垂直方向，使其与照相机的控制按键更靠近一些。这个看似简单的设计为摄影业创造了一个新的标准产品模板。后续还开发出一系列同款产品，每一款都与F 200型有着基本相同的设计形式，只是在技术上略有改进。

同系列产品还包括F 260（1965）、F 270（1966）、F 110 和 F 210（1968）、F 220、F 280 和 F 290（1969）。

L 1000带支架的落地式扬声器，1965年　　117厘米 × 75厘米 × 33厘米　　层压木、金属、金属网格板
迪特·拉姆斯　　　　　　　　　　　　60千克　　　　　　　　　　　　　3500 德国马克
博朗公司

为了搭配博朗公司日益扩展的高端音响　在L 1000型产品之前，博朗公司还曾经
设备，拉姆斯还设计了一系列同样高　在1962年和1965年分别开发了两款与
端的扬声器产品，旨在为大型空间营造　它样式相同但体型较小的产品。这款
卓越的声音环绕效果。L 1000型这款特　L 1000型产品总共仅生产了200台。
殊的监听音箱集成了很多驱动程序，所
有的机械元件都被装在一个长方形外壳　同系列产品还包括L 80（1962）、L 700
中，机身外壳上边缘有斜切面。此外，　（1965）、L 800 和 L 900（1966。
这款扬声器还可以悬挂在一个与之相匹
配的支架上面，并根据场地空间的大小
调整声音的方向。为了获得完美的声音
体验，博朗公司在系列产品中采用了
"动态带式"技术［又称"凯利的带子
（Kelly ribbons）"］，拉姆斯还专门选择
了金属网格板或穿孔的铝质网格板来搭
配这项技术。

PS 400，1965年 / PS 430唱片机，1971年（如图所示）
迪特·拉姆斯
博朗公司

17.2厘米 × 43厘米 × 32厘米
9.4千克

钢板、铝材、亚克力、橡胶
478 德国马克

这款唱片机是从audio 2音响系统（第121页）中分离出来的。它略微扁平的底座与其前身产品，即1962年的PCS 51唱片机（第89页）一致。不过，这款产品的开关改成了滑动拨钮样式，而不是在PCS 51产品中使用的带柄旋钮样式。PS 400唱片机它总共生产了4500台。

同系列产品还包括PS 402（1967）、PS 410（1968）、PS 420（1969）。

PS 1000唱片机，1965年　　　　17厘米 × 42.8厘米 × 31.7厘米　　　钢板、铝材、塑料、亚克力
迪特·拉姆斯　　　　　　　　　18千克　　　　　　　　　　　　　1900 德国马克
博朗公司

为了符合博朗公司生产的1000系列音响
系统（第130—131页）的规格标准，与
之配套的唱片机也必须是最高质量的。
于是，PS 1000产品便在1965年在斯图
加特举办的国际无线电展览会中首次亮
相。它的机身外形略宽于以往的产品，
并配有高科技的唱臂与简化的操控按
钮。博朗公司总共生产了1900台这款产
品。而后续的PS 1000 AS还配备了抗滑
的反作用力系统。这系列唱片机和同系
列的扩音器情况类似，虽然后面开发的
PS 500（第152页）在技术上更先进一些，
但是其价格仅为这款产品的一半。

同系列产品还包括PS 1000 AS（1965）。

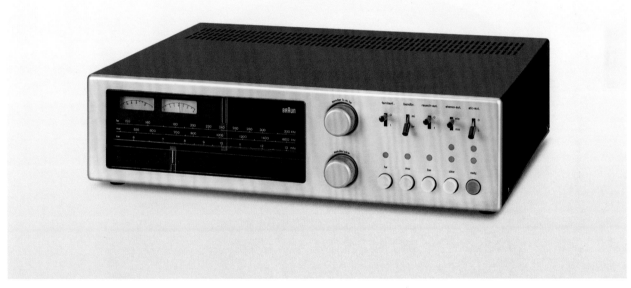

CE 1000调谐器，1965年
迪特·拉姆斯
博朗公司

10.5厘米 × 40厘米 × 33.5厘米
10千克

钢板、铝材、塑料、亚克力
2200 德国马克

这是一款用于拉姆斯设计的1000高端音响系统的调谐器。它在设计、材料和技术方面都领先于CSV 1000扩音器（下页）。不过，它也有一些特色设计元素，这些设计元素在博朗公司后来推出的著名regie高保真系列（第153页）中也有所体现。CE 1000调谐器以每批800台进行小批量生产。

同系列产品还包括CE 1000-2（1968）。

CSV 1000扩音器，1965年
迪特·拉姆斯
博朗公司

10.5厘米 × 40厘米 × 33.5厘米
14千克

钢板、铝板、塑料板
2400 德国马克

20世纪60年代中期，博朗公司进军高端音响设备市场。博朗1000系列音频产品所采用的技术在德国当时几乎是无与伦比的，而拉姆斯也开发出了一种与之匹配的设计形式。这款产品的盒子形状虽然保留了之前CSV系列产品的外形，但其前面板采用了镀漆板而非阳极氧化铝材质；因此它的外表面优美，外壳上也没有可见的螺丝。这款设备的控制装置包括上面一排精巧的拨动开关，以及下面一排旋钮开关。在有些旋钮开关上还有一个额外的小柄，可用来调整左声道或右声道。机身前面板的左侧有6个凹面按钮，它们在激活状态下是由6个对应的LED小灯来指示的。

所有这些设计元素结合在一起形成了一个三维立体构造。不过，要获得这款技术先进且创意卓越的设计产品也是要付出代价的。这套完整的音响系统包括博朗L 1000扬声器（第127页），其总价为13500德国马克，而当时一辆梅赛德斯基础款车型的价格才10800马克。结果，这款扩音器和它的后续产品，即1968年的CSV 1000-1，二者总产量为1100台。后来开发的CSV 500是变化后的缩小版款式，尽管其价格仅为之前的一半，但它在技术上依然是卓越的。尽管如此，博朗公司还是在1970年终止了这款经济亏损的高端产品业务。

同系列产品还包括CSV 500（1967）、CSV 1000-1（1968）。

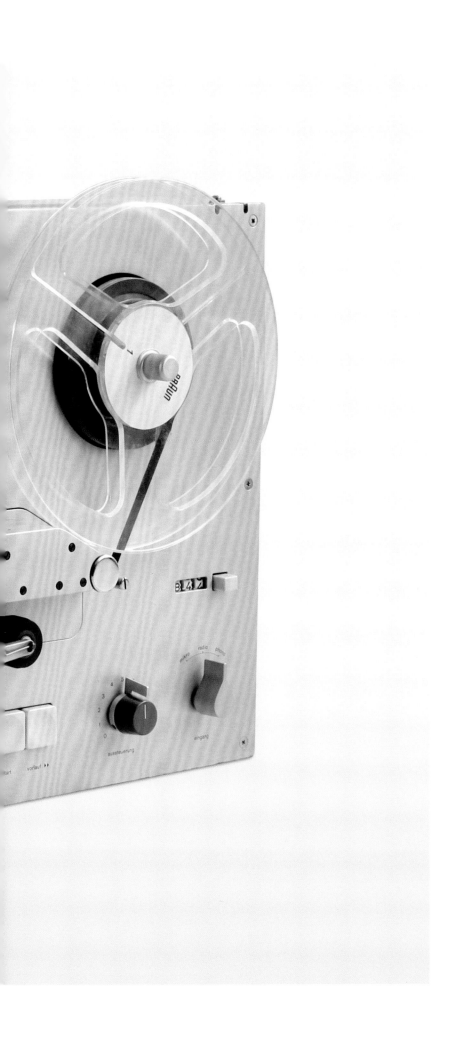

TG 60卷盘式磁带录音机，1965年
迪特·拉姆斯
博朗公司

28.3厘米 × 42厘米 × 13.5厘米
18.5千克

钢板、铝材、塑料、亚克力
1980 德国马克

尽管磁带录音机在20世纪60年代初就已经开始流行了，但最初只有几款相对简单的产品可供一般家庭使用。这就给博朗公司提出了一个新的技术挑战，因为它要进入这个不断增长的市场。在当时所有的博朗设备中，TG 60或许是给人留下印象最深刻的产品了。它裸露的磁带卷盘和动力臂、泪滴状的旋钮开关，以及显眼的用于输入信号的控制转盘，所有这些元素都增强了外观上的高科技感。这款磁带录音机的设计目的是服务于家庭场景和半专业环境，它可以连接到其他的博朗高保真模块产品上，如博朗的壁挂式音响系统（第98—99页）。拉姆斯所设计的各款高保真单元机所表现出来的视觉特色在很大程度上取决于每个单元机的独特品质与它们相互组合时所产生的和谐感之间的关系。TG 60型产品以每批1500台进行批量生产。

同系列产品还包括TG 502 和 TG 502-4（1967）、TG 550（1968）。

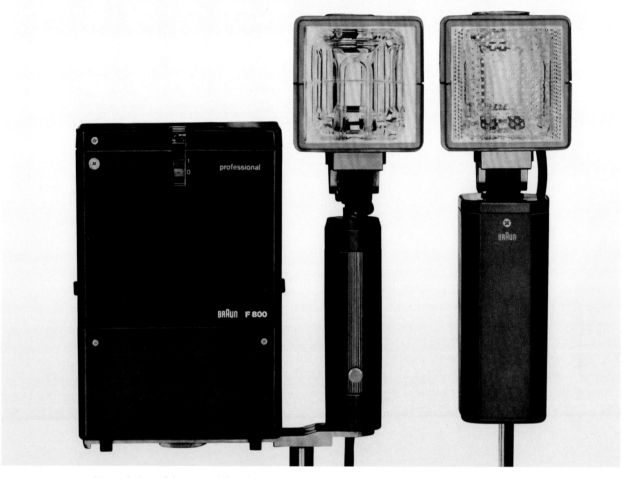

F 800 professional电子照相机闪光灯，
1965
迪特·拉姆斯
博朗公司

动力源部分：
20.5厘米 × 13.7厘米 × 5.8厘米
1.8千克

塑料、铝材
480～598 德国马克

F 800电子照相机闪光灯是一款为专业
新闻摄影师设计的产品。它的特点是带
有两个闪光灯灯头，并分别安置在不同
的支撑手柄上。其中一个灯头带柔光
镜，另一个灯头则是带透明玻璃的。这
两个灯头既可以一起使用，也可以分开
使用。这款产品的设计样式保留了博朗
公司之前所生产的大号闪光灯产品的基
本外观样式。

同系列产品还包括F 700 professional
（1968）。

Nizo S 8超8摄影机，1965年
罗伯特 · 奥伯海姆
博朗-尼佐联合公司

12.2厘米 × 23厘米 × 4.5厘米
0.98千克

铝材、金属、塑料
1080 德国马克

1964年，拉姆斯和理查德 · 菲舍尔合作
设计的EA 1 electric电动摄影机（第115
页）发布之后，罗伯特 · 奥伯海姆接管
了该系列产品的开发工作。他将原产品
基础的窄盒外形进一步细化为许多不同
的型号样式。Nizo S 8便是他设计的第
一代产品。这款产品的铝质侧板、注塑
主体外壳和可伸缩手柄的组合样式在后
来成为博朗摄影机的标准配置。这款产
品的操控元件非常直观且清晰，换句话
说，它基本不需要说明手册。

F 1000演播室照明系统，1966年
迪特·拉姆斯
博朗公司

动力源部分：
41.5厘米 × 40.5厘米 × 20.4厘米
25千克

钢板、铝板、塑料板
4200 德国马克（从最低价产品算起）

博朗公司开发的这套演播室照明系统由大量可以拆分组合的单元件构成，其中包括电源箱、落地灯、聚光灯、反光屏、柔光箱、卤素灯、挡光板、滤光片架、网格式遮光罩插件、照明反射器和脚踏开关器。每个电源箱最多可以为4台闪光灯供电。拉姆斯在F 1000系列产品的外观设计中呼应了博朗高保真音响单元机的外壳样式，也为它选择了石墨色的外壳，并在外壳表面使用了带有裂纹的人造革材料，机箱顶部的控制面板是阳极氧化铝的材质。

虽然这套照明系统在技术和创意方面被认为是成功的，但是它的价格非常昂贵，这就直接导致了它在进入一个新市场时在经济方面变成了一场彻底失败的尝试。

PK 1000 和 PV 1000，T 1000世界波段
收音机的交叉型天线和适配器，1966年
迪特 · 拉姆斯
博朗公司

PK 1000：38.5厘米 × 25厘米 × 25厘米；
PV 1000：5.5厘米 × 9厘米 × 9.5厘米
PK 1000：1.5千克
PV 1000：0.25千克

金属、塑料、玻璃
PK 1000：235 德国马克
PV 1000：245 德国马克

T 1000世界波段收音机（第106页）可
用作船上导航仪，因此成了海员们的热
门选择。同时，博朗公司还开发了一种
十字形天线和相应的适配器作为可选配
件。这两款配套设备都是以每批1000台
进行批量生产的。

CSV 250扩音器，1966年（上图是它与
1967年生产的CE 250的合照）
迪特·拉姆斯
博朗公司

11厘米 × 26厘米 × 33.5厘米
8千克

钢板、铝板、塑料板
698 德国马克

CSV 250扩音器和与它搭配的调谐器
（下页）一样，价格都仅为上一年1000
系列前代产品（第131页）的1/3。这两
款设备是同时设计的，它们只具有基本
的功能。设备机身上的控制按键数量和
形式被极大简化，除了泪珠形旋钮开关
之外，这款产品的外观设计中只包括了
圆形和矩形。

同系列产品还包括CSV 250-1（1969）、
CSV 300（1970）。

CE 500调谐器，1966年
迪特·拉姆斯
博朗公司

11厘米 × 26厘米 × 33.5厘米
6.5千克

钢板、铝板、塑料板
995 德国马克

虽然CE 500比CE 1000（第130页）调谐器价格更便宜，但它保持了与前代产品几乎相同的性能，而且设计也非常简洁。到了这个时期，欧文·博朗提出的"大设计"概念产品的价格已经不到1000德国马克了。

同系列产品还包括CE 500 K（1966）、CE 250（1967）、CE 501，CE 501-1 和CE 501 K（1969）。

FS 600黑白电视机，1966年
迪特·拉姆斯
博朗公司

51厘米 × 74.2厘米 × 36厘米
32千克

层压板、贴面刨花板、漆木
995 德国马克

尽管这款电视机最初的设计是用来传输黑白图像的，但它也可以与彩色图像技术兼容。博朗公司只对它的设计稍作了修改，就在次年推出了该公司的第一款彩色电视机。这款电视机的外壳使用了漆木，电视屏幕从机身里面向外微凸出来，与博朗公司以前研发的电视模型样机一样。这款电视机的频道设置和调频开关，以及高频（VHF）和特高频（UHF）调节刻度表都设置在了电视机控制面板的下半部，并且以网格形式相互对齐，而博朗公司最令人熟悉的、引人注目的扬声器网格罩板则占据了电视机控制面板的上半部分。FS 600电视机总共生产了2500台。

HM 107示波器的原型机外壳，约1966年　20.7厘米 × 15厘米 × 24厘米　材料未知
迪特·拉姆斯　重量未知　未出售
博朗公司/德国惠美（Hameg）公司

为了搭配博朗的ELA公共广播系统（第
143—144页），拉姆斯设计了这个外形
优美的示波器外壳，并采用了博朗高保
真设备的一些设计元素。HM 107示波
器可以测量和显示一段时间内电信号的
电压，它是1963年由专门制造实验室仪
器的德国惠美公司在法兰克福生产的。
不过，根据目前的资料，还不能推断该
外壳是专门给技术人员在维修ELA系统
时使用，还是给所有的博朗修理厂普遍
使用的。而且，图片展示的原型机样机
也没有被保存下来。

LS 75ELA系统的配套扬声器（见上页），1965年
迪特·拉姆斯
博朗公司

98厘米 × 40厘米 × 14厘米
17.5千克

木材、阳极氧化铝
880 德国马克

这几款大型扬声器的设计原本早于博朗ELA系统（参见下方文字和下页图片），但最终它们也被纳入了ELA系列。它的外观设计来自于博朗公司带有压制铝材网格罩板的小型盒式扬声器的外壳样式。博朗公司一共生产了600台LS 75型产品。

同系列产品还包括ELR 1（1968）。

ELA system公共广播系统（Public address，简称PA，见下页），1967–1970
迪特·拉姆斯
博朗公司

89.1/173.6厘米 × 60厘米 × 46厘米
多种重量

钢板、铝材
1600 德国马克（从最低价产品算起）

1967年，博朗公司开启了一个雄心勃勃的新项目，想在专业公共广播系统市场上立足。这款ELA（电声传输）系统适用于教室、演讲厅、舞蹈工作室和夜总会等大空间，它由一系列现有的博朗高保真设备组成。拉姆斯将这些单元机进行了重新设计，并为它们安装了与整个系统相搭配的前面板，然后再将它们有序地摆放在高大的塔式搁架中。当博朗公司的销售人员发现了夜总会购买该公司静电扬声器的数量增加后，这套产品的发展势头更好了，而公司也看到了扩大市场的机会。

然而，他们很快就发现德国产的高保真设备并不适合连续长时间运行，因此博朗公司对ELA系统的大规模投资最终还是失败了。根据拉姆斯的说法，当时这个项目的推进有些过于鲁莽了。

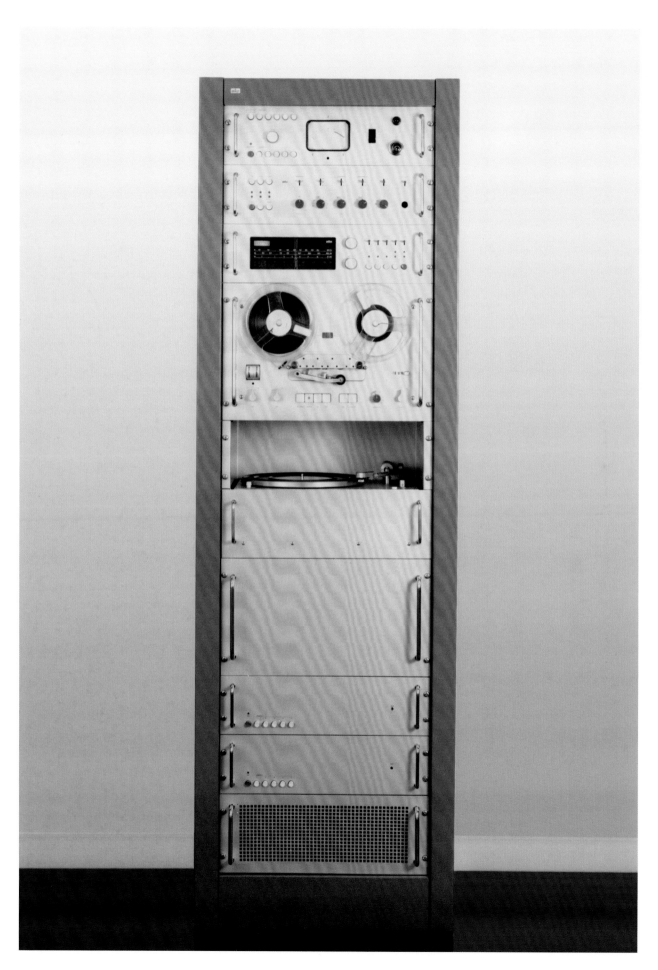

一款用于音响系统和电视机的桌架，1967年
迪特·拉姆斯
博朗公司

多种尺寸和重量

压铸铝、漆木
55 德国马克（从最低价产品算起）

拉姆斯设计的这款悬臂式桌架，是用来摆放博朗公司audio 1和audio 2音响系统，以及其他高保真设备和FS 1000电视机（第146页）的。这个悬臂式桌架带有一对纤细的防滑腿，也称"袋鼠脚"。它的外观上看起来非常轻盈，给人的感觉好像是放在上面的东西都是漂浮着一样。拉姆斯在设计维瑟和扎普夫品牌的折叠椅（第90—91页）及L 710扬声器支架（第160页）时也使用了与此相同的结构。这也是彰显拉姆斯设计能力的又一个例子，再次证明了他巧妙地创造出了可以在各款产品之间灵活使用的设计元素。

FS 1000彩色电视机，1967年
迪特·拉姆斯
博朗公司

51厘米 × 78厘米 × 56厘米
35千克

层压刨花板、塑料、玻璃
2580 德国马克

1967年，在柏林举办的第25届德国广播大展的开幕式上，德国便打开了彩色电视机世界的大门。但是，德国最初生产的PAL系统（Phase Alternating Line，一种模拟电视的彩色编码系统）彩色电视机仅能接收某些特定的节目。博朗公司抓住了这个机会，并为此开发了博朗FS 1000彩色电视机，但它比市场上其他同类彩色电视机昂贵得多。当时，德国内克曼（Neckermann）邮购公司的电视机价格为1840德国马克，而博朗公司的电视机价格则比它贵了近1000马克。受此影响，博朗公司的这两款电视机总共只生产了1000台便停产了。

在设计方面，拉姆斯采用了与FS 600黑白电视机（第140页）相同的基本外形构造，但改进了机身上控制面板。他将所有的控制按钮和调频刻度盘全部移到屏幕的右侧，将它们横向缩进且排列在一条垂直线上，而扬声器格栅槽口也横向缩短，并放在靠左侧的位置上。虽然FS 1000彩色电视机的外观让人印象深刻，但它与之前的黑白机型在总体上并没有明显变化。这款电视机是博朗1000系列电器产品中的一个单元机，其目的是把它集成到一套完整的家庭娱乐系统中。

这套娱乐系统包括了扩音器、调谐器和唱片机，而所有这些单元机都可以组合在一起摆放在一款悬臂式桌架（第145页）上面。

同系列产品还包括FS 1010（1969）。

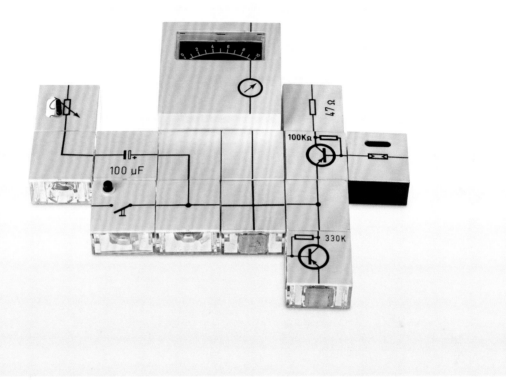

Lectron Minisystem电子积木块，1967年
迪特·拉姆斯、于尔根·格雷贝尔、
迪特里希·卢布斯、格奥尔格·弗兰
兹·格雷格（Georg Franz Greger）

博朗公司
单独一个积木块：
1.6厘米 × 2.7厘米 × 2.7厘米
0.01千克

塑料、亚克力
58 德国马克（从最低价产品算起）

1965年5月7日，格奥尔格·弗兰兹·格
雷格提出了一项产品专利申请。在这套
产品中，一些带有不同电子元件的磁性
积木块可以自由地排列在导电板上，组
成一系列功能电路。它的设计目的是为
儿童和年轻人提供一款教育玩具，也可
在学校的物理课上使用。尽管该产品最
初是由德国的爱格巴恩（Egger-Bahn）
公司生产的，但1967年博朗公司接管了
该产品的全球销售权（不包括美国），并
着手对它进行了重新设计。博朗公司后
来还出版了一本教育书籍《博朗的图书
实验室》（*Braun Buchlabor*），书中解释了
这套产品的各种玩法。而且，博朗公司
还开发了一套名为"学校系统"的产品，
它是一套更复杂的积木块，是专门给那
些玩过初级产品的人使用的。

1972年之前，该套产品一直由慕尼黑
的德国电子（Deutsche Electron）公司
生产，之后产品的生产权被转让给了
德国电子（Electron）公司，这是一家
由博朗公司工程师曼弗雷德·沃尔特
（Manfred Walter）在法兰克福创建的公
司。自2011年以来，该产品的生产权又
被转交给了法兰克福的雷哈·沃克斯塔
特（Reha Werkstatt）公司，该公司主要
为那些学习障碍者提供就业机会。

T 2 cylindric打火机的原型机，1967年　　7.3厘米 × 5.1厘米（根据直径测量宽度）　　不锈钢、塑料
迪特·拉姆斯　　　　　　　　　　　　　0.4千克　　　　　　　　　　　　　　未出售
博朗公司

继博朗的第一款打火机，即赖因霍尔德·韦斯（Reinhold Weiss）在1966年设计的矩形TFG 1产品发布之后，拉姆斯又设计了一款圆柱形打火机，并成了后续大获成功的打火机样式。即使在这个最初的原型机中，我们也已经可以看出它朝着现在非常普遍的打火机形状发展的趋势了。但这款原型机与最终的产品还是有区别的。这款原型机的外形非常短粗，并且点火开关被设计在打火机的顶部。这个原型机沿袭了以往打火机的传统样式，需要使用4根手指抓住打火机的机身，然后再用拇指按下顶部的点火开关。但这种设计结构使拇指离火焰太近，因此，人们在使用这款体型较大的打火机时操作起来有些笨拙。

T 2 cylindric圆柱形打火机的最终产品形式则采取了完全不同的手掌抓握方式。它有一个超大的凹面点火开关，而且这个点火开关位于打火机的圆柱面上（下页）。

T 2 cylindric打火机，1968年　　　　8.8厘米 × 5.4厘米（根据直径测量宽度）　　金属、塑料或皮革
迪特·拉姆斯　　　　　　　　　　　金属版：0.25千克　　　　　　　　　　75～168 德国马克
博朗公司　　　　　　　　　　　　　塑料版：0.17千克

在20世纪60年代中期，吸烟是一种可以被接受的行为。绅士主动给女人点烟也是一种常见的礼貌行为。这种为别人点烟的动作，也直接影响了博朗打火机的设计要不同于以往那种以珠宝为灵感的奢华风格，而是要更注重功能与价值的结合。正如赖因霍尔德·韦斯从他在1961年的HT 1烤面包机设计中汲取灵感，他设计的第一款打火机选择了立式长方体样式。拉姆斯在这里也采用了基本的几何形状来设计打火机，他为T 2打火机设计了一个细长的圆柱体外观，并且专门选用了圆形元素来设计这款产品的所有细节。

这个设计方案将纯净优雅且干净利落的线条与功能最大化结合在一起，可以让使用者方便地单手操作打火，这种符合人体工程学的设计形式也让使用者获得了舒适感。这款打火机产品就像是一个实用的"桌上雕塑"，它也反映了当时的极简主义艺术风格的趋势。这款成功的打火机开始采用的是磁点火技术，后来又改为压电点火技术。从外观上看，它有着众多的饰面花纹版本可供用户选择，包括了从豪华的镀银版本到带凹槽的镀铬版本，以及一系列塑料材质版本，一直到当代波普艺术的大色块版本。到了20世纪末，其他公司生产的类似这款cylindric打火机的仿造版本也纷纷出现，包括"舒适柏林""蜂鸟""柏林2号"等品牌，而且"柏林2号"还带有两个火苗喷口。

同系列产品还包括TFG 2 cylindric（1968）。

680沙发床方案，1968年
迪特·拉姆斯
维瑟与扎普夫伙伴公司/维瑟公司

38厘米×204厘米×（89～159）厘米
约40千克

聚苯乙烯泡沫、聚氨酯泡沫、织物或皮
革装饰
743～2580 德国马克

这款沙发床看起来就是一个实心块。它
的床架结构非常低矮，床架有2条长边、
2条短边和4个顶角。床架用泡沫聚苯乙
烯材料，易于拆卸、储存和运输。床垫
里面有一个大号的可隔热的聚苯乙烯内
芯，在内芯上还有一些可供空气流通的
凹槽和空腔。而在这个内芯的最上层是
一层约13厘米厚的聚氨酯泡沫隔垫。床
垫的外罩可更换各种织物或皮革材料来
装饰。这款沙发床的整体造型自然，而
且内部结构设计巧妙。它可以摆放在家
中的许多地方，同时又不会让周围的空
间环境产生压抑感。

681椅子方案，1968年
迪特·拉姆斯
维瑟与扎普夫伙伴公司/维瑟公司

61厘米×79厘米×75厘米
13千克

聚苯乙烯泡沫、聚氨酯泡沫、涤纶、织物或皮革内饰
2795 德国马克（1980年起的价格）

为了搭配680沙发床（上页），拉姆斯设计了一个与之相配的椅子，它也采用了与沙发床相同的样式和结构设计。这款椅子的靠背还可以安装到沙发床上，从而使沙发床变成一张躺椅。此外，通过一个钢制的连接托架，还可以将几把单独的扶手椅组合成一个大沙发。这个例子也突显出组合产品是如何在拉姆斯设计实践的各方面体现出来的。

PS 500唱片机，1968年　　　　17厘米 × 43厘米 × 32厘米　　　　木材、钢板、塑料、亚克力、金属
迪特·拉姆斯　　　　　　　　　12.6千克　　　　　　　　　　　750 德国马克
博朗公司

PS 500唱片机是博朗公司最先进的唱片
机之一，拉姆斯在设计中使用了非常干
净的形线样式。从外观来看，大的唱片
托盘悬浮在一个锌金属材质的、注塑成
型的液压阻尼副底盘上面。此外，唱片
机皮带传动的结构设计复杂而精确，唱
臂上还有一个抗滑的反作用力导向装
置。在使用时，PS 500型产品的闪控脉
冲会显示出深红色的灯光，从而给人留
下一个这款设备仿佛拥有生命的深刻印
象。这款唱片机总共生产了44000台，
非常惊人。

同系列产品还包括PS 500 E（1968）、
PSQ 500（1973）。

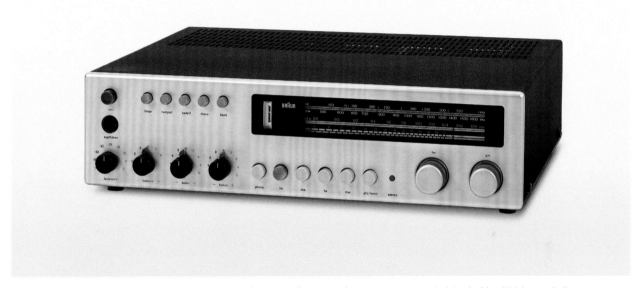

regie 500立体声收音机，1968年　　11厘米 × 40厘米 × 32厘米　　钢板、铝材、塑料、亚克力
迪特·拉姆斯　　　　　　　　　　14千克　　　　　　　　　　　1895 德国马克
博朗公司

1968年，拉姆斯设计了一款新型的高保真音响设备。它采用了紧凑型收音机的样式，并将收音机和功放设备组合在一起。在regie 500的设计中基于studio 2产品（第53页）和高端的1000产品系列（第130页）的扁平矩形盒子样式，采用了石墨色外壳和铝质前面板，并将显示屏和控制元件均放在前面板上。在这里，拉姆斯采用了凹面的按钮开关和具有双向功能的旋钮设计。这款设备的前面板光滑平整，外表看不到螺丝钉。

这款设备的型号命名是比较少见，它不同于博朗公司那种传统的字母与数字的组合名称。

在随后的几年里，博朗公司一共发布了19款regie型产品，总产量为18万台。

同系列产品还包括regie 501 和 regie 501 K（1969）。

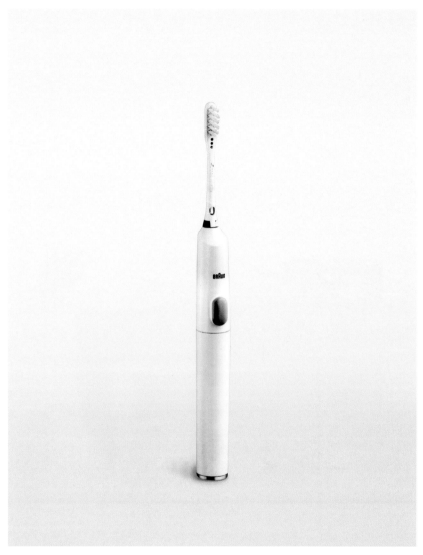

一款电动牙刷的原型机，　　　　尺寸和重量未知　　　　　　塑料、金属
1968年　　　　　　　　　　　　　　　　　　　　　　　　　　未出售
迪特·拉姆斯
博朗公司

这款电动牙刷的原型机是在拉姆斯的专利申请档案中发现的。这款产品未发表过，它是在博朗公司于1963年发布了名为（Mayadent）的第一款电动牙刷5年后才研制的。Mayadent电动牙刷由威利·齐默尔曼（Willi Zimmermann）设计，他是博朗瑞士子公司的广告经理。尽管如此，拉姆斯设计的这款产品还是比博朗公司正式生产的电动牙刷早了将近10年。拉姆斯的这款设计非常优雅，它比后来的牙刷要窄小得多，它的长椭圆形按钮模仿了T 2圆柱形打火机（第149页）上的按钮。遗憾的是这款模型从未被投入生产。

这款产品的苏联专利文书上写的内容是："第894号工业设计专利，由苏联部长会议直属的发明和发现委员会（Committee for Inventions and Discoveries）为联邦德国博朗公司外国公司颁发，用于包含电动机、插入式手柄的牙刷头的电动牙刷的工业设计。工业设计师：迪特·拉姆斯。该专利自1969年2月13日起在苏联全境有效5年。1969年11月20日，莫斯科。"

尽管这款电动牙刷未投入生产的原因不明，但当时博朗公司和苏联国营公司之间关于进入苏联剃须刀生产市场的前期谈判失败了。

当时，欧文·博朗提出了将电动牙刷的半成品运到苏联进行组装的方案，因为这样可以防止产品专利技术泄密。但这个方案却遭到了苏联方面的拒绝。这或许是这款新产品在苏联申请获得专利的原因。

HW 1浴室磅秤，1968年
迪特·拉姆斯，迪特里希·卢布斯
博朗公司

27厘米 × 31厘米 × 6.5厘米
4千克

金属、塑料、亚克力
34.50 德国马克

这款浴室磅秤的特点是有一个指针式测量装置，可以方便家庭用户记录体重。这个简单的"记忆秤"很新奇，电子秤顶部有一根横向的细钢棒，钢棒上套着几个彩色塑料环，用户可以把这些塑料环沿着钢棒来回移动，并根据其下一把尺子上标记的重量测量值来移动到对应的数字位置。HW-1电子秤还采用了所有可识别的博朗设计元素，如黑色塑料和金属材质的组合方式，以及电子秤显示屏窗口内精准的数字样式。

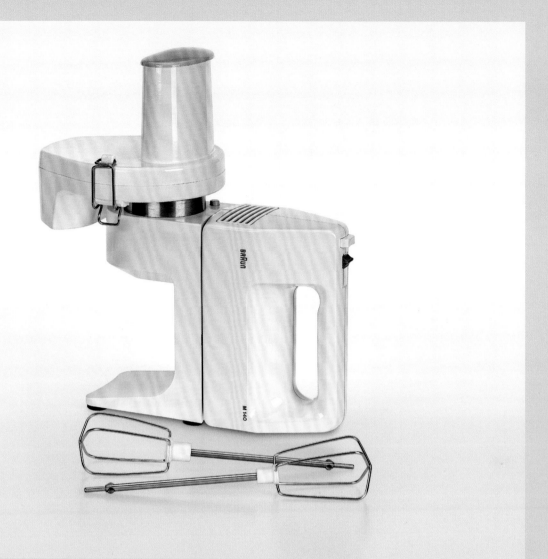

M 140 手持搅拌机，以及相搭配的MS 140切丝机、MZ 140柑橘榨汁机和MZ 142电动刀配件，1968年
手持搅拌机及附属配件

赖因霍尔德·韦斯，迪特·拉姆斯
博朗公司
17.5厘米×13/28.5厘米×7.5厘米
1.06千克

塑料
20～59 德国马克

赖因霍尔德·韦斯设计的M 140手持搅拌机是基于他最初在乌尔姆设计学院与汉斯·古格洛特共同合作的一个设计产品发展而来的。拉姆斯对它进行了一个小设计调整，以增强其易用性，即在食指手柄上设计了一个凹口，从而使抓握更牢固。拉姆斯将这个小设计应用到了20世纪80年代为门窗配件制造商德国福适博（FSB）公司生产的一系列门把手（第312～314页）的设计中。这款手持搅拌机标准搅拌头部分还可以安装到一个变速电机箱上面，从而将这款手持搅拌机变成一个带有切丝机、电动刀和柑橘榨汁机附件的迷你食物料理器。

KMM 2咖啡研磨机，1969
迪特·拉姆斯
博朗公司

18.9厘米 × 11.5厘米 × 8.2～12厘米（根据
直径测量宽度）
0.95千克

塑料、亚克力
49.50 德国马克

这款咖啡研磨机的研磨元件位于机身的中间位置，机身的上部是用来存储并提供咖啡豆的部件，下部是用来收集现磨咖啡粉的容器。整台机器呈塔式结构。这个结构设计在后来被弗洛里安·塞弗特（Florian Seiffert）应用在1972年开发的KF 20咖啡机（第190—191页）中。机身上部体积相对较大的容器可以容纳更多的咖啡豆，而机身下部两侧的扁平结构设计则是方便一手握住研磨机。作为一家设计公司，博朗公司的优势之一就是能够将已被实践证明了的、具有实用性或美学价值的既定形式转接到其他产品的设计中。

例如，这款咖啡机上面用来显示研磨咖啡量的窗口形状与T 2打火机（第149页）的点火按钮形状相同；而机身基座下部的翘板式开关按钮，后来被用于1970年开发的HLD 4吹风机（第172—173页）中。博朗产品之间的这种自然的设计连续性表现出了拉姆斯在设计探索中所采用的"尝试与检验"方法，尽管它从未成为一个明确的信条。

690滑动拉门系统，1969
迪特·拉姆斯
维瑟与扎普夫伙伴公司/维瑟公司

多种尺寸和重量
XPS挤塑板、铝材、木材

门和框架：125 德国马克
拉门板条：265 德国马克（1983年起的价格）

这款滑动拉门系统可以将房间中的凹墙空间变成一个内置橱柜，或者将一个房间分成几个小隔间。它的支撑结构是几根垂直的铝杆，这些铝杆是安装在地板和天花板之间，而拉门的滑动导轨则安装在顶部和底部。浅灰色的滑动拉门由具有柔韧性的XPS挤塑板材料的垂直板条组成，并利用榫槽接头将它们安装固定好。这款产品结构的顶部和底部设计与拉姆斯设计的680沙发床（第150页）基础部件形状相同。单从理论上讲，这个滑动拉门系统是可以无限横向扩展的。

它的基本框架模仿的是拉姆斯在维瑟公司设计的606通用搁架系统（第65—69页）中所使用的垂直剖面式样，然后在那个基础上又增加了滑动导轨。

L 710带支架的演播室扬声器，1969年　　　55厘米 × 31厘米 × 24厘米　　　　　层压木、钢、阳极氧化铝
迪特·拉姆斯　　　　　　　　　　　　　18千克　　　　　　　　　　　　　595 德国马克
博朗公司

这款扬声器是拉姆斯与音频技术人员弗兰兹·彼得里克（Franz Petrik）联合开发的，它为博朗公司带来了巨大的商业成功，该系列产品生产总量超过了10万台。与其他同价格的扬声器产品相比，其中性声音非常出色。L 710以柔和的圆角与之前产品的外观相区别，这一微小的设计变化创造出了一个视觉上和谐的机身外壳效果，这种设计样式刚好可以完美地搭配博朗公司当时其他的高保真单元机，如regie 500（第153页）等。

这款扬声器的优雅感还可以通过增加一对防滑支腿（型号为LF 700）来提升。这对防滑支腿是可以单独出售的，它们能将扬声器从地板上支撑起来，并使机身正面优雅地倾斜一定的角度。

同系列产品还包括L 810（1969）、L 710-1（1973）、L 715（1975）。

L 610，1969年/ L 500书架式扬声器，
1970年（如图所示）
迪特·拉姆斯
博朗公司

45厘米 × 25厘米 × 22厘米
9.5千克

层压木材、阳极氧化铝
460 德国马克

博朗公司的 L 500/L 600系列扬声器是
L 710（上页）的较小版本。它的机箱
内有两个或三个驱动器，其扬声器的外
观设计与较大型号的基本相同，只是比
例略有不同。

同系列产品还包括L 620（1971）、
L 500-1（1973）、L 625（1974）。

1970—1979

一款手电筒的原型机，1970年
迪特·拉姆斯
博朗公司

11厘米 × 4厘米 × 2.8厘米
0.12千克

塑料、亚克力
未出售

这款使用电池的手电筒有一个圆柱形外观，还有一个带倾斜角度的灯泡隔室，这意味着它是可以垂直摆放的，因此与使用者形成了一个更舒适、友好的互动关系。虽然这款产品的设计非常符合人体工程学，但并未投入生产。

F 240 LS hobby mat，1970年/ F 111
hobby电子照相机闪光灯，1971年（如
图所示）
迪特·拉姆斯
博朗公司

9.5厘米 × 6.3厘米 × 3厘米
0.2千克

塑料、金属
129 德国马克（F 111 hobby的价格）

该设备使用全黑配色方案，复制了博朗
公司以F 200（第126页）为基准建立的
闪光灯标准外观样式。全黑色突显了博
朗公司高保真音响设备的机身色彩，同
时也迎合了当时的单反相机大部分都是
黑色的现实，从而使它可以与相机完美
地搭配。此外，这种色彩方案也是出于
实用性的考虑，有利于避免光线反射。
拉姆斯在这款闪光灯前面板的四边缘还
设计了一个突出于机身基础边框的具有
45°斜角的小斜面，它进一步增强了产
品的三维立体效果。该系列的所有产品
均在日本生产。

同系列产品还包括F 410 LS hobby-mat
（1970）、F 16 B hobby、F 245 LSR 和
F 18 LS hobby-mat（1971）、F 17 hobby
（1972）。

一款附属扬声器的原型机，1970年   29厘米 × 14厘米 × 17厘米   塑料
迪特·拉姆斯   0.5千克   未出售
博朗公司

这是一款外形纤细的扬声器原型机，它
是为了搭配T 2002世界波段收音机（下
页）而设计的。扬声器网格罩板上的大
孔眼成为它圆弧形外壳上的显著特色。
这种孔眼设计细节后来还被融入到博朗
公司开发的另一款与cockpit高保真音响
系列相搭配的扬声器（第186页）上。

T 2002世界波段收音机的原型机，
1970年
迪特·拉姆斯
博朗公司

29厘米 × 37.5厘米 × 17厘米
1千克

塑料
未出售

塑料使用普及后，它也成了T 1000世界波段收音机（第106页）的后续产品在当时最常用的制造材料，也是那个时代的代表材料。在这款原型机设计中，拉姆斯对这一标志性产品的改造依旧保持了其独特的外观样式。但当这款设备合上外盖后，就变成了与先前不同的白色外观。打开盖子后，盒子里面却是醒目的黑色操作界面，并且所有的控制按键都被布局在一个严谨的线形网格之中。白色外盖与黑色内部面板之间的强烈色彩对比体现了这款设备的视觉美学。

这款产品的调谐刻度盘上还带有一层透明的亚克力保护板，这一功能性设计在后来也被应用在regie高保真系列产品中，而regie高保真系列产品反过来又影响了T 2002产品控制面板中对于黑色的使用。这款黑色面板最初的设计目的是彰显regie音响系统产品的尖端技术风格。

T 2002产品除了可以用作世界波段收音机之外，还可以作为一款实用的小型音响系统，拉姆斯还为此专门设计了两个配套的扬声器单元机（上页）。这样做，是因为它内置的小巧的收听扬声器只能用于播放短波新闻广播，而大部分可收听的声音无法直接外放，都要使用外接耳机才能收听。

TG 1000卷盘式磁带录音机，1970年
迪特·拉姆斯
博朗公司

32厘米 × 45厘米 × 12.5厘米
17千克

钢板、塑料、铝材
1798 德国马克

这是博朗公司继1965年的TG 60设备（第132—133页）首次亮相之后所开发的第二代卷盘式磁带录音机，它与20世纪60年代后半期开发的高端模块化设备，以及70年代开发的较新的regie音响系统（第187页）都可以完美地搭配在一起。就性能而言，这款半专业设备几乎比所有德国竞争对手的产品都更加优越。在这款设备的全金属控制面板上，各个控制开关、音频电平表（level meters），以及沿着横向和纵向全部对齐而排成一列的德国工业标准（DIN）插孔等元件，清晰整齐且富有特色。从配色来看，这款设备上的电源按钮为绿色，录音按钮为红色，而其他按钮则都是白色或灰色的。

这款设备上有几个具有"启动、停止、快进、倒带"功能的调节按钮，按下时会发出饱满而响亮的咔哒声。虽然这款设备的倒带速度快得惊人，但高效的机电制动装置却能使它在倒带过程中快速地停下来。所有这些元素综合在一起为用户提供了一个独特的视觉、触觉和听觉体验。TG 1000磁带录音机最初由位于克伦伯格的博朗公司生产，共生产了28000台，但TG 1020及其之后的型号则都是由位于慕尼黑的合作制造商乌赫（Uher）公司生产的。

同系列产品还包括TG 1000-2（1970）、TG 1000-4（1972）、TG 1020和TG 1020-4（1974）。

cockpit 250 S收音机-唱片机组合一体机，
1970年
迪特·拉姆斯
博朗公司

18厘米 × 57厘米 × 34厘米
14千克

塑料、亚克力
1298 德国马克

这款收音机-唱片机组合一体机属于
cockpit系列，是博朗audio系列音响
系统（第88页和第121页）的低价替
代机型。它于1970年在杜塞尔多夫
（Düsseldorf）举办的德国广播展上首次
亮相，其目标客户是年轻人。它也是博
朗公司第一款采用全塑料外壳的音响产
品。同时，受生产工艺限制，这款产品
的基座部分向下逐渐收窄，好处是便于
将它从模具中取出。cockpit系列中的每
款产品都生产了约16000台。

同系列产品还包括250 SK（1970）、250
W 和 250 WK（1970-1）、260 S 和 260
SK（1972）。

T 3桌面台式打火机，1970年
迪特·拉姆斯
博朗公司

5.5厘米 × 5.5厘米 × 6厘米
0.13千克

塑料、金属
50 德国马克

这款打火机的设计充分表现了设计师是如何将一个立方体转变为一个精致美观的物品的。立方体顶角处进行了非对称式圆角设计，进而改变了其外观和手感。黑色底座部分的空隙阴影使这款打火机看上去像是飘浮了起来一样，圆形和圆点的形式组合既是功能上的指示，也是令人赏心悦目的设计特征。此外，打火机侧面的黑点在视觉上与火焰喷口周围的黑色边框也具有相互关联性。

虽然T 3打火机配备了一个由15伏电池支持的电子脉冲点火装置，但博朗公司后续的domino打火机产品则使用了更便宜的压电点火技术。

domino打火机的启动按钮略微突出机身表面（第225页），并要求使用者用力按下按钮才能点燃火苗。在一个打火机中，压电技术是通过由弹簧连接的小锤子来启动的，当按下按钮时小锤子会猛烈撞击晶体块，从而产生瞬间高压电流，发出典型的"咔哒"声。

同系列产品还包括domino（1976）。

D 300幻灯片投影仪，1970年　　22厘米 × 25.2厘米 × 12厘米　　塑料
罗伯特·奥伯海姆　　　　　　　4.3千克　　　　　　　　　　　329 德国马克
博朗公司

这款紧凑型幻灯片投影仪的设计以拉姆　　同系列产品还包括D 300 autofocus（1974）。
斯在1958年设计的D50原型机（第47页）
为基础。投射光束窗口的下方有一个独
特的开口，那是用来放置幻灯片托盘的
位置。不过，在这款产品中使用的是作
为全行业标准的莱茨公司设计的幻灯片
托盘系统，而不是博朗公司自己的托盘
系统。D 300设备被安装在一个可调节
的支架上，用户可以利用这个支架改变
投影光束的角度。此外，这款设备也可
以安装在三脚架上。设计师罗伯特·奥
伯海姆在为这款设备选择控制开关的形
状时很明显地从其他的博朗公司设计的
设备中汲取了灵感。因此，这些控制开
关不仅具有功能性，而且还通过其优雅
的外观形式兼具了设计美观性。

HLD 4旅行吹风机，1970年
迪特·拉姆斯
博朗公司

5.4厘米 × 14.1厘米 × 9厘米
0.24千克

塑料
34.50 德国马克

拉姆斯利用切向吹风技术设计了这款全新的吹风机。HLD 4产品的机身上有很明显的圆形边缘，并选择了鲜艳的红、黄、蓝三原色作为机身外壳的色彩。用户可以很容易地握住吹风机的机身后部，这样就可以避免手指意外地遮住进气槽口的可能性。吹风机的进气口和排气口都被设计在机身前面。不过，这种设计的一个负面作用是会形成涡流效应，并使吹出的气流稍微减弱一些，但也有些人认为这反而是一个令人偏爱的特色。

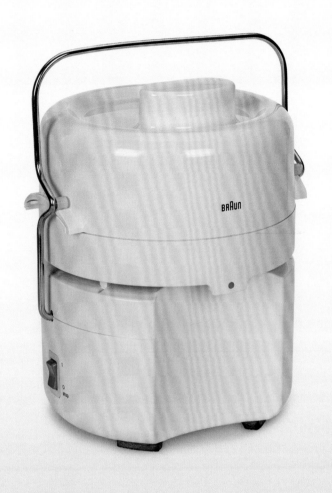

MP 50榨汁机，1970年　　　　29厘米 × 20厘米　　　　塑料、金属
于尔根·格雷贝尔　　　　　　3.7千克　　　　　　　　169 德国马克
博朗公司

1970年，这款新一代榨汁机的出现取
代了销售多年的于尔根·格雷贝尔在
1957年设计的MP 3榨汁机。而且，这
款产品也或多或少地使用了与前代产品
相同的基础技术。从外观上看，MP 50
设备的圆柱形设计比前代产品更宽，体
积也更大。在机身顶部边缘的弯曲弧度
形成了一个浅凹面，这个凹面元素在
机身下半部分的基座上也有对应的设
计，此处的凹面缩进空间刚好可以用来
放置承接果汁的杯子。这个凹面缩进的
设计特点，我们也可以在1972年设计的
citromatic MPZ榨汁机（第189—190页）
上看到。果汁喷出口位置的小红点提示
使用者将接果汁的玻璃杯放置在此处。

一款咖啡研磨器的原型机，1970年
迪特·拉姆斯
博朗公司

28.8厘米 × 13厘米 × 12厘米
1.5千克

塑料、亚克力
未出售

拉姆斯除了设计咖啡机（第176页）之外，还设计了一款壁挂式咖啡研磨器。它可以挂在一条垂直轨道上并可上下移动，这样可方便不同高度的容器接咖啡。这款产品独有的设计是它带有一个椭圆形的窗口，可以用来显示机身中的咖啡豆存量。这款设备上的控制按钮与博朗高保真音响设备的按钮样式相同。

一款咖啡机的原型机，1970年
迪特·拉姆斯，于尔根·格雷贝尔
博朗公司

34厘米 × 23厘米 × 17厘米
3.75千克

塑料、亚克力
未出售

迪特·拉姆斯和于尔根·格雷贝尔设计
这款咖啡机时借鉴了弗洛里安·塞弗特
早期设计的KF 20咖啡机（第190—191
页）中首次建立的塔式外形，最终设计
出了这款精美的咖啡机原型机。在原型
机塔身的顶部是透明的亚克力储水盒，
而塔身下部空间则是抽屉样插入式的过
滤器和咖啡壶。两个亮黄色的隔热把手
整齐地上下垂直排列，在原型机塔身的
正前方构成了一条醒目的纵向线条。

cassett旅行剃须刀，1970年 　　　　10厘米 × 6厘米 × 3.5厘米 　　　　塑料
弗洛里安·塞弗特 　　　　　　　　　0.17千克 　　　　　　　　　　54 德国马克
博朗公司

这款旅行剃须刀是用电池驱动的。从外观上看，它明显不同于博朗sixtan型号产品更为圆润的设计样式。它的方形机身在顶部逐渐收窄，产品外壳有红色、黑色和黄色可供选择。在剃须刀的机身上有一个突出的、色彩对比鲜明的圆形控制开关。这款产品还可以放在另一个带有部分开口的包装盒中进行运输。这种运输包装方法在后来也被用在博朗的第一款袖珍计算器的包装盒上。该系列产品所使用的明亮色彩外壳可以使它们与博朗的家用剃须刀系列明显地区分开。

同系列产品还包括cassett standard（1972）。

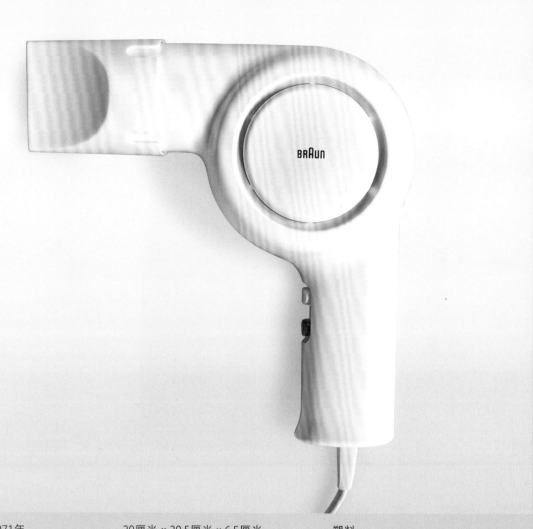

HLD 6吹风机，1971年
于尔根·格雷贝尔，迪特·拉姆斯
博朗公司

20厘米 × 20.5厘米 × 6.5厘米
0.55千克

塑料
39.50 德国马克

这款吹风机包括一个矩形手柄，以及一个连接在一个圆形吹风设备上的吹风喷嘴。机身表面上进气口的凹槽形成了一个圆环状空隙，使这款吹风机的圆形外观显得更加突出。这款产品的垂直手柄设计出于定位专业美发师市场的考虑，因为这是当时美发师们惯常使用的吹风机样式。这款产品最终呈现为一个令人满意的简洁的几何造型。同时，它也代表了20世纪20年代由德国萨尼塔斯（Sanitas）公司或AEG公司所生产的老式金属材质吹风机向新型塑料材质吹风机的成功转变。

同系列产品还包括HLD 61（1971）。

phase 1闹钟，1971年
迪特·拉姆斯，迪特里希·卢布斯
博朗公司

8厘米 × 18厘米 × 10厘米
0.6千克

塑料、亚克力
108～125 德国马克

这是一款翻页式闹钟，它的外观设计是一种带有分瓣显示的、类似于早前机场中常使用的时钟式样。这种类型的闹钟自20世纪60年代中期开始出现在德国市场上，其产品主要由日本制造。1971年，博朗公司还开发了一款类似的闹钟产品，但它当时使用的是旋转式的显示界面。而这款phase 1闹钟则是分瓣式的，它有一个略微倾斜的黑色前面板，上面显示了关于时间和闹钟的设置。这款产品与拉姆斯设计的T 2002收音机（第167页）及其他博朗高保真设备一样也使用了黑色的配色方案，主要也是为了用黑色来突显产品的技术感和精确性。这款时钟的机身外框边缘是圆润的，它有白色、橄榄色和红色等外壳色彩可供用户选择。其中，红色外壳是出于对当时盛行的波普艺术的一种妥协。

而根据该设计的合作者迪特里希·卢布斯说，因为这款闹钟的部件都是从外部供应商手里采购的，所以作为设计师也并非总能决定数字的大小和样式。

620椅子/储物容器方案，1971年
迪特·拉姆斯
维瑟公司

38厘米 × 66厘米 × 66厘米
约20千克

塑料
620 德国马克

这是一款别出心裁的家具，既可以作为椅子，也可以作为储物容器或室内植物的花盆。这个容器底部安装了滑轮，方便四处移动。这款产品最初设计于1962年，它表达了拉姆斯对家庭环境中的流动性和视觉上清晰、整洁性的理解。

710储物柜方案，1971年　　　　　多种尺寸和重量　　　　　层压刨花板
迪特·拉姆斯　　　　　　　　　　　　　　　　　　　　278～1048 德国马克（1973年起的价格）
维瑟公司/科隆sdr+家具公司

储物柜主要用于办公室环境，也适用于
私人住宅。其中，各个储物柜单元既可
以单独使用，也可以组合在一起使用。
它们是用19毫米厚的层压木板制成的，
在柜子的底部带有撑脚或滑轮。拉姆斯
在这个产品系列中再次采用了模块化设
计方法，这与他14年前在RZ 57产品（第
28页）设计中的工作刚好相互呼应。

拉姆斯夫妇（迪特·拉姆斯与英格博
格·拉姆斯）的私人住宅，克伦伯格，
德国，1971年
迪特·拉姆斯

这座迪特·拉姆斯和英格博格·拉姆斯的私人住宅也是这位多才设计师的设计作品。1958年，博朗公司获得了克伦伯格北部陶努斯（Taunus）森林边缘地带的一块土地优先购买权，他们计划用来为公司高管人员建造住宅，并为外来宾客提供单独的住宿房屋。这个开发项目被命名为"在红山坡上（Am Roten Han）"，它的设计灵感源自1961年由瑞士建筑公司"Atelier 5"设计的瑞士伯尔尼（Bern）的哈伦庄园（Halen Estate）。这两个场地具有相似性，地形都包含了一系列的梯田结构，并通过密林里的小路彼此相连，基本上也没有汽车来往。

拉姆斯于1967年7月开始为这些建筑物绘制第一批182幅设计草图。然而，就在这

一年，博朗公司被吉列公司收购了，于是这块土地又被卖回了城市部门。

这个项目随后由科尼格斯坦（Königstein）的建筑师鲁道夫·克莱默（Rudolf Kramer）接管，虽然鲁道夫在自己的设计方案中也提到了拉姆斯设计的初步草图。而拉姆斯夫妇则在该场地的北边地区获得了一大片土地，他们在这块土地上建造了一座半独立的平房。这座房子与庄园中的其他房子有所不同，拉姆斯的住宅采用的是深色木窗框和白色地砖。同时，拉姆斯还根据他喜爱的日本风格设计了一个带游泳池的大露台花园。此外，他还设计了房子的室内空间，并主要用自己设计的家具来布置房间。

自从拉姆斯夫妇于1971年底搬到这里之后，整栋房子的室内布局几乎没有改变过。如今，这整栋建筑已被列为遗产保护建筑。2016年9月15日，德国黑森州（Hessen）地区保护办公室宣布"拉姆斯之家"为文化古迹，禁止对其进行任何内部或外部的改动，这也正是拉姆斯夫妇对这座房屋的期望。

F 1 mactron袖珍打火机，1971年
迪特·拉姆斯
博朗公司

7厘米 × 3.3厘米 × 1.3厘米
0.1千克

塑料、压铸锌、铬镀层
98 德国马克

博朗公司在1971—1981年发布了大量的袖珍打火机，这些打火机的生产是外包的。其中，大多数产品模型都由拉姆斯自己设计。但也有一些打火机由古格洛特研究所与乌尔姆布瑟设计工作室（Busse Design Ulm）设计，后者是乌尔姆设计学院一位名叫里多·布瑟（Rido Busse）的校友所建立的工作室。这款F 1 mactron型打火机是由拉姆斯负责设计的第一款袖珍打火机，它采用了扁平的方块外形。使用者只用拇指就能打开机身外壳，露出里面的打火装置。这种打火方式在当时是如此新颖，以至于它以设计师的名字申请并在几个国家都获得了设计专利。

这款打火机采用的是电磁点火技术，它的加油阀开口位于打火机侧面，这不禁会让人联想起跑车上的油箱盖。但是，

由于这款打火机需要另外再配一个特殊的适配器来为它灌油，因此这个有些奢侈的设计特色在后来被放弃了，取而代之的是按照传统打火机的方式将加油阀位置安置在打火机底部。F 1 mactron型打火机的后续产品，即名为"linear"的打火机，除了将加油阀的位置更改到了底部之外，其余部分都是和之前一模一样的。博朗公司在广告宣传中曾经形容F 1 mactron型打火机"它是博朗公司的顶级打火机，采用了独特的形式和材料。它显然是对于那些过度装饰的、带有豪华饰面和夸张造型的打火机的最佳替代产品"。这款打火机坚实的压铸锌外壳样式有助于彰显其高品质的迷人魅力，正如设计师曾经应用"尝试与检验"方法所获得的那种将闪亮的金属材质和黑色纹理的塑料材质相搭配的经典方案一样，都有利于提升设备的品质。

同系列产品还包括linear（1976）。

mach 2袖珍打火机，1971年
弗洛里安·塞弗特，迪特·拉姆斯
博朗公司

5.7厘米 × 3厘米 × 1.3厘米
0.06千克

金属、塑料
39 德国马克

在弗洛里安·塞弗特设计的这款打火机中，拉姆斯起到了决定性的作用，他做了打火机点火开关上那个独特的翘尾设计。这个小细节与原本严谨的矩形机身形成了对比效果，在人体工程学方面也是一个显著的进步。mach 2型打火机采用了压电点火技术，它由总部位于纽伦堡的柯林斯兄弟公司（Gebrüder Köllisch AG）生产。这家公司是"领事（Consul）"打火机的制造商，它于1971年成为博朗公司的子公司。

L 260搁板式或壁挂式扬声器，1972年　30厘米×19厘米×19厘米（根据直径测　塑料
迪特·拉姆斯　量宽度）　248 德国马克
博朗公司　3.5千克

这款扬声器是作为cockpit音响系统（第169页）的一个配套产品开发的。这些价格低廉的扬声器都是基于T 2002世界波段收音机附属扬声器的原型机（第166页）而开发的。在机身正面的底部有一个迷你圆盘，上面有经典的博朗标志，这个小圆盘还会随着扬声器的摆放方向改变而自动地旋转调正。

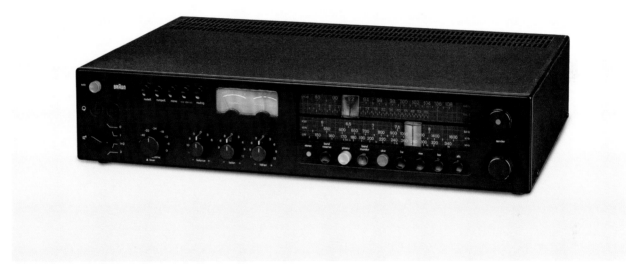

regie 510，1972 / regie 520收音机，1974
（如图所示）
迪特·拉姆斯
博朗公司

11.5厘米 × 50厘米 × 33.5厘米
15千克

钢板、涂漆铝、塑料、亚克力
1750 德国马克

拉姆斯在1972年开发了这款Regie 510收音机，外壳用了全黑色，而这种色彩在后来成为博朗音响产品系列及几乎整个音响行业在未来30年的基准色。这款收音机的结构类似于regie 500（第153页），但其矩形外壳更宽，并且交互按钮的排列方式更接近于1965年设计的CE 1000调谐器（第130页）的布局。这款产品很明显分为两部分，左边是扩音器，右边是收音机，每一部分都有各自的控制按钮，而收音机部分的调谐波段是用一个红色的细指针来指示的。

博朗公司在最初生产了35000台510型号产品之后，于1975—1976年又拓展了regie系列，发布了许多后续迭代型号，其中的许多型号是被其他的博朗公司的工程师调整过的。

这款产品与其他那些只能通过授权的博朗零售商购买的高端产品不同，在公司销售团队的坚持下，它和regie 350型等较低端产品也可以通过商场销售。博朗公司在1973年开发的CE 1020收音机除了移除了扩音器部分之外，其余结构和外观与这款510型完全相同。CE 1020型产品是搭配博朗公司的CSQ 1020 4声道前置扩音器（第197页）的设备。此外，CE 1020型产品的调谐范围也比regie 510型产品更广。但由于很少有电台会使用这种新兴的4声道音频技术，因此这款新型音响产品主要被广播公司用来测试广播效果。

尽管如此，CE 1020型设备仍然可以搭配一般常见的立体声广播接收机。1974年1月1日，德国颁布了禁止操纵市场价格的法案。该法案的颁布直接导致了博朗公司与其授权的音频零售商之间长期建立的重要捆绑关系的结束。

同系列产品还包括regie 450（1975）、regie 450 S 和 regie 350（1976）、regie 525、regie 526、regie 528 和regie 530（1977）。

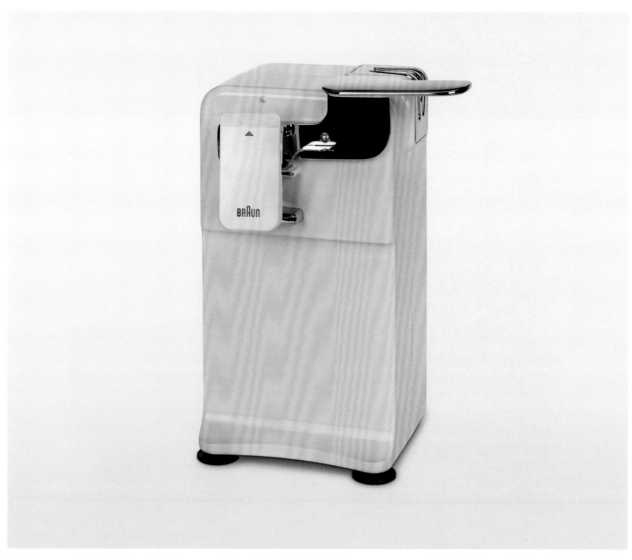

DS 1 Sesamat电动开罐器，1972年
迪特·拉姆斯，于尔根·格雷贝尔，
加布里埃尔·卢埃利斯（Gabriel
Lluelles）

博朗·埃斯帕尼奥拉公司
21厘米 × 11.5厘米 × 12厘米
2.1千克

金属、塑料
价格未知

这是一款包括了开罐器和磨刀器的电动
组合式产品，它由博朗公司的西班牙子
公司生产，主要面向西班牙当地市场，
并以品牌名称"Braun Abrematic"销
售。这款沉重的设备是由塑料支脚支撑
的，其切割部件上还配有一个用铰链连
接的保护盖，以避免它被意外打开时伤
到人。

citromatic MPZ 2柑橘类水果榨汁机（上页），1972年
迪特·拉姆斯，于尔根·格雷贝尔，
加布里埃尔·卢埃利斯

博朗·埃斯帕尼奥拉公司
21.5厘米 × 15厘米（直径）
1.3千克

塑料、亚克力
51.50 德国马克

1962年，博朗公司接手了总部位于巴塞罗那的西班牙家用电器制造商皮默（Pimer）公司，并将其改名为"博朗·埃斯帕尼奥拉公司"。不过，这家公司的产品设计仍由位于德国克伦伯格的博朗公司总部负责。本土设计工程师（如加布里埃尔·卢埃利斯）有责任帮助总部开发面向西班牙市场的产品。事实上，citromatic MPZ 2榨汁机是博朗公司最成功的厨房电器之一，而卢埃利斯也参与了其开发过程。这款产品的最初样式是由迪特·拉姆斯和于尔根·格雷贝尔联合设计的，它是专门为博朗·埃斯帕尼奥拉公司开发的产品，瞄准的目标市场是西班牙的许多小酒吧和咖啡馆。

不过，当这款榨汁机首次亮相的时候，它的主要特色是卢埃利斯设计的盖子。

这个盖子没有采用那种传统的沿着榨汁锥头的自然轮廓而形成一个扁平面。据拉姆斯说，当时为了说服博朗·埃斯帕尼奥拉公司的管理层改变传统设计，耗费了大量时间。最终他和格雷贝尔成功地说服了管理层。所以，这一非同寻常、造型优美的电器至今仍能在许多地方找到。它的经典外观看起来就像一个带有喇叭形多立克柱头和一个圆顶的矮柱子。这两处设计特色都说明了看似简单的细节对于产品美学的重要性。同时，这两处特色设计对于产品的功能性也同样重要，因为其显眼的出汁口和凸出的榨汁锥头完美展示了这款机器的全部功能：榨取鲜橙汁。

这台citromatic 榨汁机与1970年的MP 50榨汁机（第174页）类似，其圆柱形外壳上位于出汁口下方的部位也是凹进去的，以便可以容纳一个接果汁的玻璃杯。时至今日，这款榨汁机是由德龙（De'Longhi）公司在授权许可下以其原始设计样式进行生产销售的，产品名为"向博朗致敬系列 CJ 3050"。

同系列产品还包括MPZ 21（1994）、MPZ 22（1994）。

KF 20咖啡机（下页），1972年
弗洛里安·塞弗特
博朗公司

38.5厘米 × 15厘米（根据直径测量宽度）
1.8千克

塑料、玻璃、金属
139 德国马克

弗洛里安·塞弗特作为博朗设计团队中的一名年轻成员，在设计这款产品时从拉姆斯那里获得了一些非传统建议，拉姆斯建议他设计一款"更像俄式茶汤壶（samovar），而非化学仪器"的咖啡机。这个建议与当时咖啡机的技术性外观不同，拉姆斯所想象出来的东西是更具雕塑感的。塞弗特接受了拉姆斯的建议，设计出了KF 20这款不仅具有视觉吸引力，而且形式上也非常创新的产品。塞弗特并没有沿袭传统方式把储水罐放在咖啡壶和过滤器旁边，而是选择了塔式结构：储水罐被置于顶部，由两根弯曲的管子支撑，而咖啡壶则置于机身下部。

然而，要实现这种设计结构还需要再为上部安装第二个加热装置，这大幅提高了产品的生产成本和零售价格。尽管如此，这款产品还是吸引了众多买家，一方面是因为它可以节省空间，另一方面也是因为它设计精美。KF 20型产品有多种颜色可供选择，拉姆斯称之为"早餐桌上的一束花"。它的后续产品，即1976年设计的KF 21型产品，是由哈特维格·卡尔克（Hartwig Kahlcke）设计的，它带有一个下端开口的头朝下手柄和一个可调节温度的加热板。

同系列产品还包括KF 21（1976）。

一套化妆品容器的原型品，1972年　　　　（6.2～11.5）厘米 ×（4～5.5）厘米　　　塑料
迪特·拉姆斯　　　　　　　　　　　　　（根据直径测量宽度）　　　　　　　　未出售
博朗公司　　　　　　　　　　　　　　　0.10～0.21千克

这里，我们看到的是拉姆斯设计的一套
容器原型品。它们可以用来装男性剃须
前和剃须后的乳液。这些容器呈纤细的
圆柱形外观，瓶身蓝灰色且上面的字体
风格朴素。这些设计元素都旨在将它们
与更奢华的香水瓶区分开来，并使其更
能吸引男性消费者。

洲际电动剃须刀，1972年
罗伯特·奥伯海姆，弗洛里安·塞弗特，
迪特·拉姆斯
博朗公司

剃须刀：9.7厘米×6.5厘米×2.5厘米;
连同充电座：
12.7厘米×10.5厘米×2.9厘米

剃须刀：0.18千克
充电座：0.10千克
塑料、金属
172 德国马克

这款剃须刀在1972年发布后，因其外形和名字而备受关注，这个名字是由博朗公司市场部提出来的。在当时那个年代，"洲际（intercontinental）"这个词只用来指代航空旅行，而现在这款以它命名的剃须刀也代表飞来飞去各地旅行的生活方式了。这款电池驱动的无线绳剃须刀的外壳采用了不锈钢和黑色塑料材质的经典组合方案。剃须刀正前方有一个圆形、带凹槽纹理的电源按钮，是借鉴了弗洛里安·塞弗特的cassett剃须刀（第177页）设计。这种对博朗产品中设计元素的重复使用方法可以使它立即被消费者识别出来。这款产品紧凑，并体现了先进技术的设计，主要目标客户是频繁出差的公司高管。

phase 3闹钟，1972年　　　　　　9.5厘米 × 11厘米 × 6厘米　　　塑料、亚克力
迪特·拉姆斯，迪特里希·卢布斯　　0.25千克　　　　　　　　　48 德国马克
博朗公司

随着phase 1闹钟（第179页）及其后续
产品phase 2的发布，博朗公司很快就
从那种分段滚轮式和分瓣翻页式的闹钟
样式过渡到了这款类似于传统时钟指针
的设计样式。这种设计尝试最先体现在
这款1972年的phase 3中。机械技术的
改变使这款产品的外壳更加紧凑，而指
针形式也使用户可以更精确地监测时
间。这款闹钟是通过钟表盘下面一个明
显突出来的"鼻子"灯从底部来照亮钟
表盘的。phase 3的扁盒子形状在后来
成为所有博朗闹钟的标准样式。

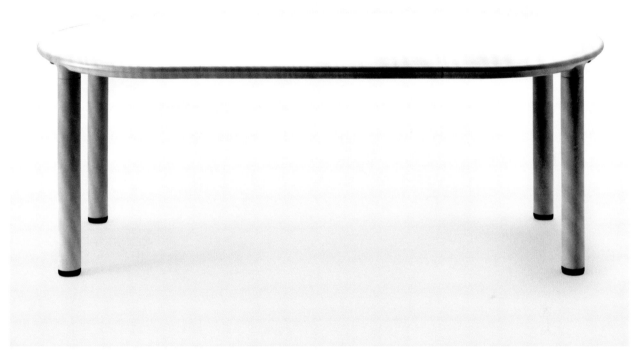

720 / 721带扩展板的餐桌，1972年　　　720型：71厘米×120厘米×110厘米；　　　聚苯乙烯泡沫塑料
迪特·拉姆斯　　　　　　　　　　　　　721型：71厘米×195厘米×110厘米　　　2290～2410德国马克（1982年起的价格）
维瑟公司　　　　　　　　　　　　　　　约40千克

维瑟公司的第一款完全用塑料材料制作
的桌子就是720型餐桌，它是一种小型
的正餐桌或早餐桌。此外，该公司还开
发了一款可扩展的721型餐桌。721餐
桌具有相对复杂的结构，餐桌的桌面可
以拉开，并在中间插入一个扩展板，从
而使桌面面积大幅度增加。这款桌子底
部的支脚高度是可以调节的，使它能够
适应不平整的地板。桌腿也是可以拆卸
的，非常便于存放。

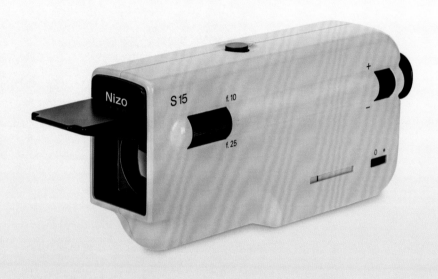

一款超8袖珍摄影机的原型机，1972年　　8厘米 × 16.7厘米 × 4.5厘米　　　塑料
罗伯特·奥伯海姆　　　　　　　　　　0.35千克　　　　　　　　　　　　　未出售
博朗公司

这是一款袖珍摄影机的原型机，其外形
模仿的是超8胶卷暗盒的基本形状。整
台设备由白色的机身、一个黑色的镜头
遮光盖，以及其他配件构成。机身上的
镜头遮光盖具有双重作用，遮光及作为
镜头盖在运输过程中保护镜头玻璃免遭
磕碰。这个简单直观的设计，可以使不
太理解专业技术知识的人也能用它来拍
摄日常生活。

CSQ 1020带SQ制式解码器的4声道前置
扩音器，1973年
迪特·拉姆斯

博朗公司
11厘米 × 40厘米 × 31.5厘米
11千克

钢板、铝材、塑料
1560 德国马克

20世纪70年代，音频设备制造商开始尝试一种新的声音再现方法。它们使用4声道，用4个分离式扬声器从高保真音响系统的前方和后方同时输出声音。众所周知，4声道是室内空间最早使用的环绕立体声技术之一。日本JVC公司是这一领域的早期领导者，博朗公司也曾短暂地进入这一市场。然而，博朗公司并不完全确定这项业务的可行性，所以最终合资企业以失败告终。拉姆斯说，当时正是著名指挥家赫伯特·冯·卡拉扬（Herbert von Karajan）帮助博朗公司终结了这个商业实验。卡拉扬当时曾是博朗公司私人医疗服务主管沃纳·库普里安（Werner Kuprian）的病人。

有一次，卡拉扬访问博朗公司总部，博朗公司主管给他演示了4声道音响系统并征求他的意见。卡拉扬的回答简明扼要：他的劳斯莱斯的车载立体声音响都比这个好得多。

为了应用这个复杂的新技术，每个分离的音频单元都要进行重新设计。拉姆斯设计的这台CSQ 1020前置扩音器以每批3200台进行批量生产。机身上有很多按钮和滑块，整机外壳采用的是博朗regie系列产品的外壳。与之匹配的唱片机PSQ 500是1968年设计PS 500（第152页）的后续产品，PSQ 500的要求不高，只需要给它安装一个新的拾音器（pickup）即可与CSQ 1020设备接通，不用时还可以把拾音器关掉。

在4声道技术未能成功推出后，博朗公司的音频工程师们则开始了更大胆的尝试，即开发全音域音响系统，这套系统中包含了9台扬声器和2台低音扬声器，并在1979年柏林国际无线电展览会上展出，旨在提供一个全新的听觉体验。然而，波士顿总部的吉列产品经理很快对这一昂贵的设计失去了兴趣。而这款音响产品的零售价约为7000 德国马克，被认为是一项糟糕的商业投资。

sixtant 6007电动剃须刀，1973年
迪特·拉姆斯，理查德·菲舍尔
博朗公司

11厘米 × 6.4厘米 × 3.1厘米
0.3千克

金属、塑料
110 德国马克

sixtant系列剃须刀（第102页）在1962
年首次亮相的10多年后，仍然是博朗公
司的主打销售产品，并在20世纪70年
代催生了一系列新的迭代产品。拉姆斯
对这个系列产品的第一个设计贡献是设
计了sixtant 6007产品，它的特点是在
机身正前面有一个适合抓握的圆形罗纹
面，这是拉姆斯从一年前理查德·菲舍
尔设计的sixtant 6006样式中借鉴过来
的。圆形罗纹面上方有一个显眼的绿色
电源按钮，年了便会用。按钮的绿色是
拉姆斯从其高端音频单元机的电源按钮
色彩方案中借鉴来的，绿色代表高质量
和高精度。

欧文·博朗很快就意识到了将特定的设
计元素从顶级博朗产品中转移到平价机
型的好处，并大力推广了这一做法，最
终帮助博朗产品获得销量提升。

sixtant 8008电动剃须刀，1973年
迪特·拉姆斯，弗洛里安·塞弗特，罗
伯特·奥伯海姆

博朗公司
11.2厘米 × 5.8厘米 × 2.8厘米
0.27千克

金属、塑料
102 德国马克

作为博朗公司的首席设计师，拉姆斯一直参与新产品线的设计开发。他在1973年承接的另一个大项目是开发sixtant 8008电动剃须刀，它是作为博朗公司的明星产品推广的。sixtant 8008机身的前后都刻有精细的水平条纹，机身中央的操控按钮用符号指示关闭、剃须和头发修剪等功能。相对于其他博朗剃须产品而言，8008型产品有一个不同寻常之处，那就是为用户提供了棕色外壳的选择。这款产品新颖的扁平头部独具特色，它是一种采用了博朗紧凑型刀片和箔网的款式，这还是一个专利设计，正是这种巧妙的设计样式才使它拥有了独特的扁平头部。

8008型产品获得了巨大经济成功，总产量超过1000万把。在此之前，从没有过其他型号的剃须刀产品有过如此多的产量。它的后续产品sixtant 5005采用了类似设计，为白色款，它于1984年上市。

同系列产品还包括sixtant 5005（1984）。

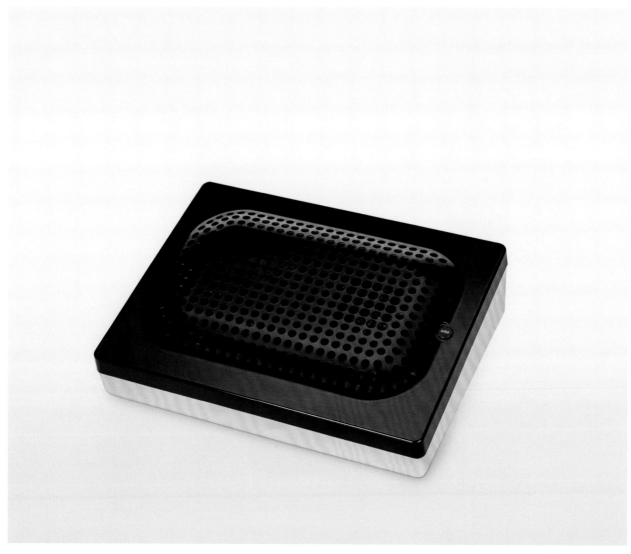

L 308扬声器，1973年
迪特·拉姆斯
博朗公司

14.1厘米 × 34.5厘米 × 10.1厘米
6.5千克

聚苯乙烯
300 德国马克

这种带有塑料外壳的紧凑型扬声器是为
搭配audio 308紧凑型音响系统（下页）
而设计的。扬声器网格上的大孔借鉴了
上一年L 260型产品（第186页）的设计
样式并做了一些调整。设备上的博朗标
志也与之前一样也可以根据扬声器的摆
放方位自动进行旋转调正。

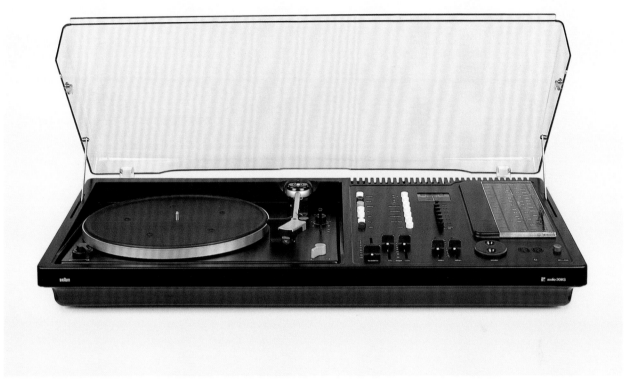

audio 308紧凑型音响系统，1973年　　16.7厘米 × 79.7厘米 × 35厘米　　聚苯乙烯、金属、塑料、亚克力
迪特·拉姆斯　　　　　　　　　　　19千克　　　　　　　　　　　　　　1650 德国马克
博朗公司

"塑料狂潮（Plastic fantastic）"是20世纪70年代早期的流行语，几乎没有其他材料像塑料一样在消费市场上拥有如此大的优势。博朗公司在当时也响应了这股社会热潮，推出了全新一代的音响产品。这些产品融入了那时流行了10多年的波普美学，并采用塑料这种新型材料降低产品价格。这款组合了收音机和唱片机的audio 308音响系统以8°的角度面向着用户略微倾斜，这一结构特点在很大程度上是由于安装在机身后部的电源变压器所导致的。然而，它也促成了一个更加友好的操作界面。亚克力防尘罩正前方部分开放，这样即使在防尘罩闭合时，用户也可以使用几个最重要的控制装置。设备控制滑块的设计样式则是参照了专业的调音台样式。

这款设备的另一个独特元素是整体机身的基座部分向着底部逐渐收窄。这使得该设备在生产制造过程中可以很容易地从注塑成型的模具中抽取出来。这款产品的第二代是audio 308 S型，它的表面是铝色的，而唱片机的唱片托盘和唱臂则都是黑色的。

为了搭配这款音响系统，拉姆斯还设计了与之匹配的扬声器（上页）。扬声器可以垂直摆放、水平摆放，还可以安装在墙面上。此外，还有一款电视机（第212页）原本也计划作为该系列的一个单元机，但最后没有投入生产。audio 308产品是博朗公司最成功的高保真音响系统，这两款机型共销售了55000台。

它还影响了当时行业内其他高保真音响设备的样式，如美籍德裔工业设计师哈特穆特·埃斯林格（Hartmut Esslinger）在1978年开始为他自己的"Wega Concept 51k"音响系统进行设计时就曾借鉴了这种略微倾斜的外观样式。

同系列产品还包括308 S（1975）。

regie 308接收机，1973年　　　　16厘米 × 46厘米 × 35.5厘米　　　聚苯乙烯、金属、塑料、亚克力
迪特·拉姆斯　　　　　　　　　10千克　　　　　　　　　　　　　1100 德国马克
博朗公司

这款接收机是从audio 308 紧凑型音响
系统（第201页）中分离出来的，并作
为一款独立的模块产品使用。

同系列产品还包括regie 308 S（1973）、
regie 308 F（1974）。

PS 358唱片机，1973年
迪特·拉姆斯
博朗公司

16厘米 × 46厘米 × 35.5厘米
8.4千克

聚苯乙烯、金属、塑料、亚克力
459 德国马克

这款唱片机也是从audio 308 紧凑型音响系统（第201页）中分出来的，并作为一个单独的单元机模块出售。它的特色是有一个形式优雅的、附有一个扁平唱头外壳的唱臂，还带有一个引人注目的黄色泪滴状旋钮开关。这款设备共生产了7300台。

同系列产品还包括PS 348（1973）。

PS 350唱片机，1973年
迪特·拉姆斯
博朗公司

17厘米 × 50厘米 × 32厘米
8.5千克

层压木、塑料、钢板、亚克力
498～530 德国马克

PS 350产品是对PS 358唱片机（第203页）
进一步精简后的迭代产品，它被置于一
个带有透明亚克力防尘罩的盒子状基座
中。不过，这个防尘罩是后来加上去的，
因为拉姆斯认为加上防尘罩不够吸引人，
所以他在设计这款产品时是不带防尘罩
的。这款产品的设计意图是创造一个能
够适合于更广泛的博朗高保真系列产品
的审美模板。这款机型的价格相对来说
非常便宜，其总销量超过了13万台。

同系列产品还包括PS 450（1973）。

audio 400紧凑型音响系统，1973年
迪特·拉姆斯
博朗公司

17厘米 × 75厘米 × 36厘米
19千克

层压木、钢板、塑料、亚克力
2100 德国马克

这款音响系统是作为audio 308型产品
（第201页）独特的倾斜面设计的另一
种替代方案。它采用了更传统的盒子形
状，以便能够吸引更广的、更偏保守的
消费市场。audio 400型设备控制面板
的前侧有一个微妙的倾斜设计，但是它
依然保留了audio 308型产品亚克力防
尘罩的前部开口设计，以便用户可以在
防尘罩闭合的状态下操作按钮。该系列
的两款机型共生产了近3万台。

同系列产品还包括audio 400 S（1975）。

Nizo spezial 136超8摄影机，1973年　　9.7厘米 × 23厘米 × 5.2厘米　　铝材、塑料
罗伯特·奥伯海姆　　　　　　　　　0.7千克　　　　　　　　　　698 德国马克
博朗-尼佐联合公司

博朗公司在发布了包括1965年推出的
Nizo S 8型产品（第135页）等大型摄影
机系列产品之后，又开发了一系列更便
宜、更易于操作的小型摄影机。尽管这
款产品采用了与大型摄影机基本相同的
设计样式，但博朗公司的开发意图是想
要用它来打入一个新的目标市场。

weekend袖珍打火机，1974年
迪特·拉姆斯，古格洛特研究所，
弗洛里安·塞弗特
博朗公司

6.9厘米 × 3厘米 × 1.3厘米
0.04千克

塑料、金属
30 德国马克

这款weekend打火机采用压电技术设计，
并选用了黑色或各种彩色的塑料外壳机
身。值得注意的是在这款打火机设计中，
传统的打火机进气槽的水平缝隙被替换
成了小圆孔。

energetic（cylindric solar）打火机及其
存储盒的原型品，1974年
迪特·拉姆斯
博朗公司

打火机：8.8厘米 × 5.3厘米，
根据直径测量宽度
存储盒：12.3厘米 × 7厘米，
根据直径测量宽度
打火机：0.23千克
存储盒：0.08千克

打火机：金属、亚克力玻璃
存储盒：铝材、金属箔
未出售

energetic打火机被定位为博朗公司最昂贵的打火机，当时计划以600德国马克的价格出售。然而，它到了预生产阶段就停止了，从未进入市场。虽然这款打火机保留了拉姆斯cylindric产品（第149页）的形状，但它配了一个更加复杂的光伏能源系统，该能源系统在当时是非常昂贵的。安装在机身顶部面板内的太阳能电池能够在仅有正常室内照明的条件下为镍镉电池充电。如果以每天使用30～40次打火机的频率计算，电池一次充满电后，可以持续使用2个月。为了配合这款打火机，拉姆斯还设计了一个奢华的铝制打火机存储盒，存储盒的内部采用的是鲜红色的配色方案。

存储盒上部盖子的边缘处还设计了两个半圆形的凹口，当盖子盖上后，也可以从外面直接看到红色塑料内盒的特点。此外，这个盖子还可以倒过来摆在桌子上作为烟灰缸使用。在这种情况下，半圆形凹口可用作烟嘴的支架。从设计理念上讲，这款设计代表了设计师将高科技节能技术成功地整合到了人们的日常用品中。

740堆叠家具方案，1974年
迪特·拉姆斯
维瑟公司

可堆叠圆盘：11厘米 × 35厘米，
根据直径测量宽度
顶层的桌子盖面：4厘米 × 65/85厘米，
根据直径测量宽度
可堆叠圆盘：1.5千克

顶层的桌子盖面：3千克
塑料
可堆叠圆盘：39 德国马克；
顶部的盖面：229～354德国马克
（1980年起的价格）

基于多次到日本出差的灵感启发和对于
日本文化的着迷，拉姆斯为维瑟公司设
计了这款模块化堆叠家具系列。它在每
层圆盘之间插入一个稳定用的圆环，把
这些圆盘堆叠起来，组合成一个单独的
圆柱形家具。这些堆叠起来的矮墩子，
还可以在顶层搭配一个比它的直径更大
的桌板，改造成一张桌子。这款家具在
室内和室外都可以使用。如果把它们放
在室外，那么随着时间的推移，这些家
具便会渐渐产生一种暗深的铜绿色，使
它们看起来像一尊石雕。

一款电视机的原型机，1974年
迪特·拉姆斯
博朗公司

56厘米 × 45厘米 × 32.5厘米
8千克

聚苯乙烯、亚克力
未出售

这款原型机是为了搭配拉姆斯的308音响系统（第201页）而设计的。尽管直到1974年才完成，但是一个与之类似的设计初稿早在1966年博朗公司的《博朗经营明镜》（*Braun Betriebsspiegel*）杂志的一篇文章中就曾出现过了。在这款设备中，显示器与接收器之间用一个可旋转的支架隔开，这样可以使电视机屏幕朝不同的方向转动。然而，由于当时大规模经济萧条，其中也包括了1973年的石油危机，导致博朗公司的销售额在1974年大幅下降，因此公司对于有高风险的新开发项目保持着更加谨慎的态度。

CD-4 4声道解调器，1974年
迪特·拉姆斯
博朗公司

11厘米 × 26厘米 × 33.5厘米
约5千克

钢板、铝材
600德国马克

1974年，这款解调器被添加到了CSQ
1020 4声道音响系统（第197页）中。
拉姆斯为它设计了一个虽然不显眼，但
结构布局清晰的机身外壳。

Project Paper Mate书写工具，1974年
迪特·拉姆斯，迪特里希·卢布斯，
哈特维格·卡尔克，克劳斯·齐默尔曼

吉列公司/缤乐美（Paper Mate）公司
尺寸和重量未知

塑料或镀铬金属
未出售

博朗公司被吉列公司接管几年之后，拉姆斯受邀来到了吉列公司的波士顿总部，探讨设计团队为吉列公司的子公司（其中之一是美国书写工具公司——缤乐美公司）进行设计的项目。当时吉列公司的董事长兼首席执行官文森特·C.齐格勒（Vincent C. Ziegler）热衷于在整个吉列集团树立高端设计的愿景，不过遗憾的是缤乐美公司并不认同他的观点。拉姆斯说，当他在向缤乐美公司展示新产品设计草图时，其首席执行官激动地嚷到："虽然大老板想要这个，但我们可不需要这个。"

据拉姆斯说："当我交付了产品设计模型之后，它们便消失得无影无踪了，此后再也没有人看到过。后来，我还搜索了原型品目录，但是也没有找到它们"。

这些原型品是为两套缤乐美产品系列设计的，每套系列中都包括了圆珠笔、毡尖笔和自动铅笔。这些笔的笔尖都是可以伸缩的，有按压伸缩和转动伸缩两款，笔杆上面还带有一个可拆卸的笔夹。在设计方案中还包括了一系列的案例和销售陈列的内容。

Project Paper Mate书写工具，1974年
迪特·拉姆斯，迪特里希·卢布斯，
哈特维格·卡尔克，克劳斯·齐默尔曼

吉列公司/缤乐美公司
尺寸和重量未知

塑料、镀铬金属、铝材或不锈钢
未出售

这是另一套缤乐美系列的书写工具原型品，它有一个复杂的旋转笔杆，这个旋转部位还可以兼做笔杆的握力点。笔杆的中间一段带有罗纹，它是整体性设计的一部分，无缝地衔接了位于上部的笔杆段和位于下部的笔尖段。由于这款产品的笔尖可伸缩，所以不需要笔帽。这样就为设计师提供了另一个强化笔尖处设计的机会。而笔杆的侧面有一个紧密贴合的笔夹，使用者只要按压笔夹的顶部，就可以将其打开。

一款水杯的原型品，1975年
迪特·拉姆斯
博朗公司

杯子：7.2厘米×5.6/8厘米，根据直径
测量宽度
杯托：1厘米×10.2厘米，根据直径测
量宽度
0.11千克

塑料
未出售

这款杯子是为了搭配博朗的咖啡机系列
产品而设计的，它标志着博朗公司在寻
找办公室一次性杯子的替代品方面迈出
了第一步。这款设计方案包含了一个碟
子和一个可插入纸杯的杯托，它们都是
可重复利用的。将它们组合在一起便形
成了一个带有手柄的结实耐用的水杯。
这些原型品虽然并未投入生产，但是
它们为8年后博朗公司在汉莎航空公司
的飞行餐具设计竞赛中提交的参赛作品
（第294—295页）提供了灵感来源。

一款水杯的原型品，1975年
迪特·拉姆斯
博朗公司

8厘米×6/9厘米（根据直径测量宽度）
0.3千克

塑料
未出售

在第二款原型品中，拉姆斯更注重环保
了。在这款产品中，原来的一次性纸杯
被可重复利用的可洗式亚克力杯子所替
代。在一份1972年的报告《增长的极限》
中，作者曾经呼吁人们对保护环境与自
然资源进行深刻反思。这份报告是由
罗马俱乐部（Club of Rome）委托编写
的。罗马俱乐部是一个智囊团，它是由
一群来自世界各地的政治家、科学家、
经济学家和商界领袖于1968年成立的组
织。这份报告的出版对拉姆斯产生了深
远的影响，从那时起，产品的使用寿命
就在他的设计中占有了重要的地位。

functional闹钟，1975年
迪特里希·卢布斯
博朗公司

5.2厘米 × 14.7厘米 × 12.7厘米
0.75千克

塑料、玻璃
约300 德国马克

迪特里希·卢布斯设计的这款functional闹钟在后部安装了一个大变压器，而倾斜的时钟显示器则位于机身前部。翘板式控制开关依次排列在变压器的背上，它的样式和博朗1978年开发的ABR 21时钟收音机（第254—255页）上的开关按钮一样。这个坚固、典雅的全数字设计产品既可以当闹钟，又可用作桌面时钟。同时，由于是非机械闹钟，它在运行时完全没有噪声。

AB 20闹钟（1975年）
迪特·拉姆斯，迪特里希·卢布斯
博朗公司

6.9厘米 × 8.6厘米 × 4.8厘米
0.1千克

塑料、亚克力
48 德国马克

AB 20闹钟是博朗公司生产的由电池驱动的传奇旅行闹钟的前代产品，它由拉姆斯和迪特里希·卢布斯于1975年设计。这是一款小巧轻便的设备，可以在任何地方使用，也适合在旅行时随身携带。它简单直观的设计对用户非常友好，很容易操控。在闹钟正面有一个突出的开关按钮，可以打开或关闭闹铃。此外，还有一个有趣的小设计，那就是印在闹钟外盖内侧的世界地图上并没有用波恩或柏林来代表德国，而是用了博朗公司总部的所在地法兰克福来代表德国。

AB 20闹钟的设计借鉴了以往产品的设计灵感，包括玛丽安·勃兰特（Marianne Brandt）在1930年为设计的桌面时钟和埃里希·迪克曼（Erich Dieckmann）在1931年的设计，这两款时钟都采用了黑色表盘及与黑色形成对比色的白色指针和时间标记。此外，这款产品还借鉴了马克斯·比尔在1959年为汉斯（Junghans）公司设计的产品，其样式是在一个黑色方盒子框架的中心带有一个圆形的钟表盘。尽管借鉴了诸多产品的设计特点，但拉姆斯和卢布斯联合设计的这款AB 20闹钟样式在当时的市场上还是有非常独特的卖点。他们如此设计的这款闹钟，不仅仅是出于对工艺和装饰的考虑，也是出于对功能性的考虑。

AB 20型产品与1989年开发的AW 10腕表（第317页）的销售情况相似，这款闹钟开始并没有投入市场销售，而是被博朗公司作为促销礼物赠送给顾客。

但不久之后，它就由专业零售商和商场出售了。

同系列产品还包括color（1975）和 tb travel（1981）。

TGC 450卡式磁带录音机，1975年　　11厘米 × 28.5厘米 × 33.5厘米　　钢板、铝材、塑料、亚克力
迪特·拉姆斯　　　　　　　　　　6千克　　　　　　　　　　　　　898 德国马克
博朗公司

TGC 450卡式磁带录音机是为了响应当
时的紧凑型盒式磁带技术而开发的产
品。这个技术是在20世纪60年代被飞
利浦公司引进德国的，然后便迅速发展
了起来。拉姆斯运用这款小设备设计了
一个从顶部插入磁带的录音机单元，并
将设备的控制面板放在了机身的前面。
拉姆斯想要创造出一个外形类似博朗
regie音频系列的产品，为此他也将大
部分控制按钮的位置进行了变动。这款
TGC 450型产品是以每批27000台进行
批量生产的。

KH 500立体声头戴式耳机，1975年　头带：20厘米（根据直径测量）　塑料、海绵衬垫
迪特·拉姆斯　0.19千克　99 德国马克
博朗公司

为了扩展博朗公司当时已有的封闭式
（closed-back）高保真头戴式耳机的业
务范围，拉姆斯设计了这款带一个宽
头箍的开放式（open-back）头戴式耳
机。这款耳机头箍的两侧都留了较大的
缝隙，以尽可能少地遮住使用者的头
部，从而使用户获得更舒适的贴合感。
在先前型号使用的外形凸出、皮革材质
的耳垫在这里也被形状贴合、裸露出来
的海绵耳垫所取代。这款耳机的总产量
为23000个。

ET 11 control袖珍计算器，1975年
迪特·拉姆斯，迪特里希·卢布斯
博朗公司/欧姆龙（Omron）公司

13.5厘米 × 8.4厘米 × 2.4厘米
0.13千克

塑料、亚克力
价格未知

ET 11 control计算器源自博朗公司销售
部门的一项倡议，该部门从日本电子公
司——欧姆龙公司购买了这个产品的设
计。最初，原来相对平凡的设计样式在
引进之后没做大改动，只是将电池盒盖
（颜色为黄色或橙色）更换成了带有博
朗标志的黑色盒盖。但是，因为这款产
品的设计来自于外部公司，这构成了一
个充分理由以推动博朗设计部门开发更
好的设计方案。于是，经过博朗设计团
队的努力，在次年便推出了更新设计后
的ET 22型计算器（第228页）。

L 100 compact紧凑型扬声器，1975
迪特·拉姆斯
博朗公司

17.3厘米 × 10.5厘米 × 10.8厘米
2.6千克

压铸铝、钢板、铝材
198 德国马克

这款带有坚固压铸铝外壳的小型双声道
扬声器具有一个惊人的饱满声音效果。
它本来是被设计为安装在架子上或作为
一个壁挂式的设备。但是，它最重要的
设计目的是为了给轿车带来高品质的声
音效果。为此，拉姆斯专门使用减震材
料为它设计了一种可以放在扬声器侧面
的衬垫，必要时可以粘贴在扬声器的两
侧，以防止车内乘客被设备的金属外壳
碰害。L 100型是以每批55000台进行批
量生产的，并于1979年3月8日获得了
德国专利局颁发的设计专利。

同系列产品还包括L 100 auto（1978）。

模块化厨房电器的原型机，1975年　　　33.5厘米×50厘米×8.4厘米　　　塑料、金属
彼得·施耐德　　　　　　　　　　　　3.35千克　　　　　　　　　　　　未出售
博朗公司

这是几款厨房电器的原型机，它们的设
计采用了模块化的设计理念。各种不同
的附件单元，如一把电动刀具和一个搅
拌器，都可以连接到另一个圆柱形电机
上。所有这些模块单元都装在一个矩形
底座上，底座还可以兼做圆柱形电机的
充电桩。

domino set打火机和烟灰缸，1976年
迪特·拉姆斯
博朗公司

打火机：5.5厘米 × 5.5厘米 × 6厘米；
烟灰缸：3.4/5.5厘米 × 7.3厘米（根据
直径测量宽度）
打火机：0.13千克

烟灰缸：0.07/0.09千克
塑料、金属
78 德国马克

这是一款改良的domino set打火机套
装，它是1970年开发的T 3桌面台式打
火机（第170页）的延伸产品。这款套
装包含1个打火机和3个塑料烟灰缸。烟
灰缸的内部用了黑色，以避免丢在里面
的烟灰和烟蒂过于显眼。烟灰缸两侧的
两个半圆形凹口可以用作烟嘴的支架，
而烟灰缸中间的金属圆顶则可用来熄灭
烟头。

DN 40 electronic闹钟，1976年
迪特·拉姆斯，迪特里希·卢布斯
博朗公司

5.3厘米 × 10.7厘米 × 11.2厘米
0.4千克

塑料、亚克力
价格未知

博朗公司除了有分段滚轮式、分瓣翻页式、指针式的时钟款式之外，还采用了真空荧光显示屏（VFD）技术来设计闹钟。这款小数字闹钟特色鲜明，亮绿色的时钟数字被包裹在一个背部极度削减的机身外壳中。机身外壳的颜色有黑色、红色或白色等，而数字显示屏的正面朝着观看者的方向略微向下倾斜。这款DN 40闹钟凭借其特有的简明用户界面而成为表达拉姆斯关于"好设计原则"的一个重要案例，它生动地诠释了"好设计就是尽可能少的设计"。

regie 550接收机，1976年　　　　11厘米 × 50厘米 × 33.5厘米　　　钢板、铝材、塑料、亚克力
迪特·拉姆斯　　　　　　　　　　14千克　　　　　　　　　　　　　1760 德国马克
博朗公司

regie 550接收机是以每批18500台进行
批量生产的，它是regie系列中性能最
好的产品型号，代表了博朗公司高保真
音响系统中的"赛车"型号。在打开电
源后，接收机像启动了一辆保时捷911
跑车：音响设备以其深沉的启动音宣告
开启，音频电平表上面的两个超薄细指
针立即开始弹动，显示灯也随之点亮。
当它与适合的扬声器相搭配时，其音频
声音甚至可以达到接近保时捷跑车发动
机的音效水平。这款设备的重量为14千
克，采用了全金属外壳，外观看起来非
常坚固耐用。这款设备外壳上那些形式
新颖的凸面控制按钮在ET 22 control袖
珍计算器（第228页）上也能发现。

ET 22 control袖珍计算器，1976
迪特·拉姆斯，迪特里希·卢布斯
博朗公司

14.5厘米 × 8厘米 × 2.3厘米
0.14千克

塑料、亚克力
76 德国马克

与原来的欧姆龙计算器（第222页）相比，这款计算器的区别在于那些小但引人注目的元素。再仔细观察就会发现还有其他一些重要的设计细节。首先，这款产品拉长了先前产品的矮墩墩的外形，缩减了原来设备轮廓上的圆角部分，形成了一种新的比例关系，使其有一个明确的纵向感。其次，或许说更重要的变化就是将原来设备的凹面按钮改变为了凸面按钮。这个设计不仅提高了产品操作的功能性，也为产品外观增添了优雅感。最后，这些按钮表面的抛光质感，黑色与棕色的精妙配色方案，以及它们与亮黄色构成的色彩对比，进一步突出了优雅的感觉。

这款产品也保留了一些前代产品的元素，包括矩形基本轮廓、黑色背景上绿色数字的数字显示方式及其应用技术。除了ET 44型计算器（第261页）之外，所有的博朗计算器都是在亚洲地区制造的。

ET 22产品是一个典型例子，充分展现了博朗公司能够成功地将通过"尝试与检验"方法获得的经典设计元素应用到各个不同的产品设备上：这款计算器上独特的按钮与同时期开发的regie 550接收机（第227页）上使用的按钮是完全相同的。

这款计算器还配有一个保护性滑套外壳，这个外壳的结构样式是基于1970年的cassett剃须刀（第177页）而设计的。当计算器关闭时，这个滑套外壳会自动地将电源按钮转到"关闭"的位置上。计算器上面"等号"按钮的黄色再次体现了从1975年起博朗闹钟上的秒针颜色。这些设计的接续传递对于塑造博朗公司的企业设计形象做了重要贡献。

同系列产品还包括ET 23 control（1977）。

L 200书架式扬声器，1976年
迪特·拉姆斯
博朗公司

25.5厘米 × 16厘米 × 15厘米
4.2千克

层压木、铝材
198 德国马克

这款3声道扬声器是专门为博朗公司的
瘦身版（slim-line）音响系列产品而开
发的。它带有一个由穿孔金属板制成的
向外凸的网格罩，这个弯曲弧度使网格
罩朝向听众鼓了出来。L 200的以每批
44500台进行生产，令人印象深刻。

一款电水壶的原型机, 1976年
迪特·拉姆斯, 于尔根·格雷贝尔
博朗公司

21.5厘米 × 22厘米 × 13.5厘米
0.8千克

塑料
未出售

这款电水壶由一个塑料容器和一个小角度的把手组成。俯看时, 该设备的主机身是一个三角形, 前窄后宽。这样就从形式上赋予了水壶一个清晰的方向感, 并明确了这款产品的功能。在主机身的正前方, 沿着垂直方向还有一个长方形透明的亚克力窗口, 用户可以通过这个窗口来观察壶体中的水位高度。

一款单杯咖啡机的原型机，1976年
迪特·拉姆斯，于尔根·格雷贝尔
博朗公司

尺寸和重量未知

塑料、金属
未出售

这款单杯咖啡机是博朗公司为了满足越
来越多的单身家庭而设计的。它可以制
作出一杯量的咖啡，机身上部的小壶用
于煮好咖啡，而机身下部黑色的储水罐
则闪烁着微弱的光芒，上面还有一个按
钮开关。热水由一根透明的外管被送入
咖啡机上部，然后再流到一个插在铝壶
内部的过滤器之中。成品是一件如雕塑
般精美的厨房电器，它既实用又靓丽。

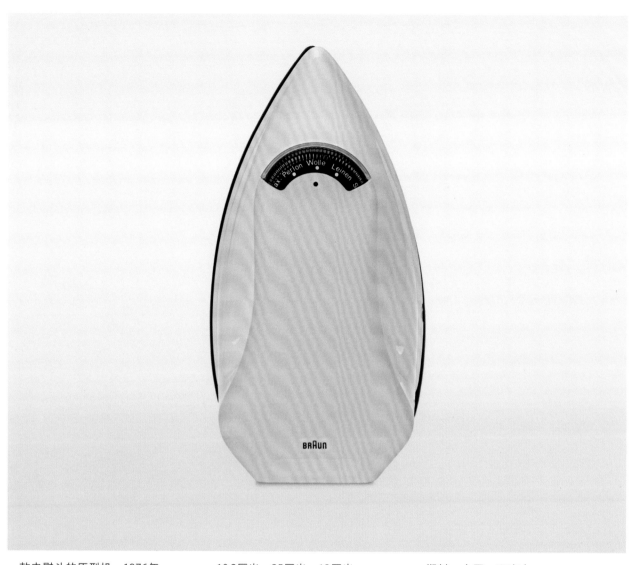

一款电熨斗的原型机，1976年
迪特·拉姆斯，于尔根·格雷贝尔
博朗公司

10.2厘米 × 25厘米 × 12厘米
1.25千克

塑料、金属、亚克力
未出售

这款设计新颖的电熨斗是在拉姆斯家中
的工作室秘密设计的。它的一体式机身
将加热和熨烫的部件与手柄巧妙地合为
一体，创造出了一个有机的形状，其上
的温度显示屏呈弧状。这款产品还有多
个不同版本，不过尽管它具有独创性，
但却从未投入生产。

Cricket一次性打火机的预生产模型，
1976年
迪特·拉姆斯

吉列公司/克里克（Cricket）公司
8.1厘米 × 2.7厘米 × 1.5厘米
0.01千克

塑料、金属
未出售

吉列公司1967年收购博朗公司之后，其
首席执行官文森特·C.齐格勒（Vincent
C. Ziegler）一直想把博朗公司的设计引
入吉列公司的其他子公司产品中，他
没有成功。拉姆斯设计了这款一次性
Cricket打火机，但它并没有投入生产。
这款打火机的横截面是一个菱形，这种
结构便于将几个打火机紧密地包装在一
起，以节省空间。

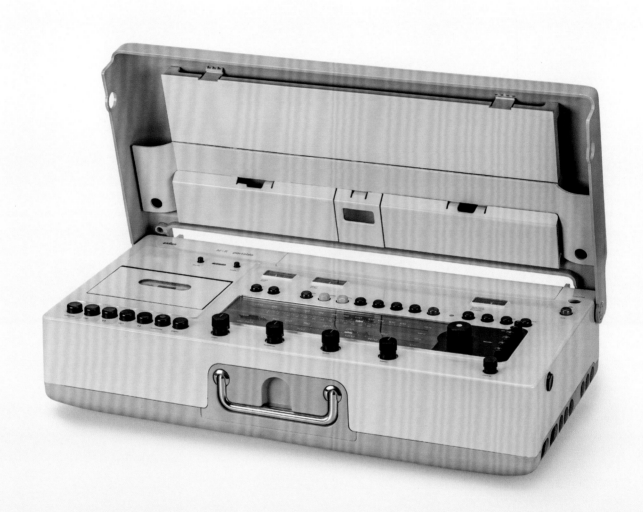

一组便携式高保真音响系统和扬声器的
原型机，1976年
迪特·拉姆斯
博朗公司/文森特·C. 齐格勒

高保真音响：
15.5厘米 × 54厘米 × 28厘米
扬声器：尺寸未知
高保真音响：3千克
扬声器：重量未知

高保真：塑料
扬声器：层压木、铝材、橡胶
未出售

拉姆斯同时设计了这款便携式高保真音
响系统和一组配套的扬声器，不过这两
款设备都没能跨越早期的原型机阶段而
投入生产。拉姆斯提出这款高保真产品
的设计方案是为了挽救博朗公司日益下
滑的音响市场，当时的音响业务正开始
逐渐成为博朗公司的财务负担。拉姆斯
借鉴了regie音响系统的设计，为这款
音响系统增加了一个磁带式录音机。与
此不同的是配套的扬声器则是应吉列公
司前首席执行官文森特·C. 齐格勒的要
求开发的，他的目标是开发出一款供户
外聚会时使用的音响设备。

虽然本项目信息被保留下来的很少，但
拉姆斯在设计扬声器时，很有可能是使
用了当时已有的某一款型号的博朗扬声
器，然后再为其设计了一个方便移动的
外壳。

2056 sound超8有录音功能的摄影机，
1976年
彼得·施耐德
博朗-尼佐联合公司

15.7厘米 × 25.8厘米 × 7厘米
1.65千克

铝材、钢板、塑料
1898 德国马克

从1976年开始，博朗公司开始销售有录
音功能的摄影机。尽管彼得·施耐德是
该产品的首席设计师，但它依然保持了
之前由罗伯特·奥伯海姆建立的基本结
构和布局设计。这款设备的手柄没有采
用常见的垂直设计，而是以对角线方向
斜对着摄影机的正前面。

PS 550唱片机，1977年
迪特·拉姆斯
博朗公司

11.5厘米 × 50厘米 × 33.5厘米
7.3千克

钢板、塑料、亚克力
700 德国马克

这款唱片机是博朗公司出品的瘦身版音响系列的一个单元机，该系列所有机身的高度上限都仅为65毫米，这是指在不包括防尘罩高度的情况下。这款唱片机的特色是带有一个触控式的唱臂操作拨盘。使用者只要将手指放在拨盘片的凹口中就可以启动对唱臂的操控；当手指朝着任意方向拨动这个凹口盘片时，唱臂也会相应地跟随着移动。这个功能性设计为产品引入了一种新奇的用户与设备的交互方式。这一系列产品的3款型号总产量为44000多台。

同系列产品还包括550 S（1977）、P 501（1981）。

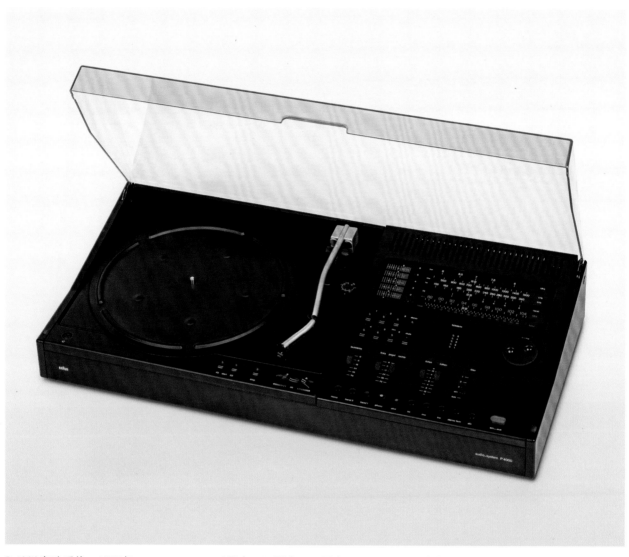

P 4000音响系统，1977年
迪特·拉姆斯
博朗公司

12厘米 × 87厘米 × 34厘米
25千克

钢板、塑料、亚克力
1298 德国马克

1977年，带有唱片机或磁带录音机（或
两者兼有）的P 4000音响系统作为博朗
公司的audio 1（第88页）和audio 2（第
121页）音响系统的替代产品上市了。
事实证明，这款独立的紧凑型设备很受
欢迎，但是体型比它更大一些的集成设
备在经济效益方面却并不成功。这3款
机型总产量为13500台。

在这款设备中，拉姆斯将经典的盒子结
构与优雅的、略有前倾的控制面板巧
妙地搭配了起来。控制面板上面的一长
排控制按钮、调频刻度盘及各滑动控制
键的布局设计使整个操作界面非常富有
特色。

同系列产品还包括PC 4000 和 C 4000
（1977）。

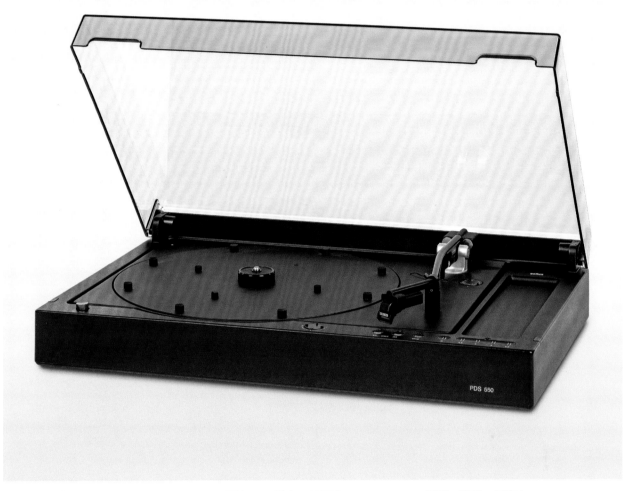

PDS 550唱片机，1977
迪特·拉姆斯
博朗公司

11厘米×50厘米×33厘米
7千克

钢板、塑料、亚克力
998 德国马克

这是博朗PS 550唱片机（第237页）的
后续产品，它不再需要使用者动手开启
设备控制了。以前设备上的控制按钮和
电子唱臂抬升器在PDS 550产品中全换
成了传感器，而这些传感器可以自动地
实现电子控制。在这款设备中，只有电
源开关还保持着按钮样式。PDS 550以
每批3万台进行批量生产。

同系列产品还包括P 701（1981）。

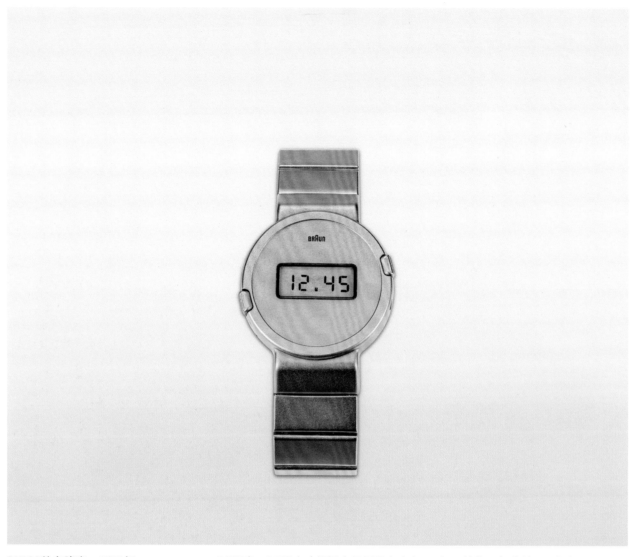

DW 20数字腕表，1977年
迪特·拉姆斯，迪特里希·卢布斯
博朗公司

0.7厘米 × 3.5厘米（根据直径测量宽度）
0.07千克

硬铝、镀铬、氧化钛、不锈钢
342 德国马克

这是博朗公司设计的第一款数字手表，
它采用了一个指针式的圆形表盘。但圆
形表盘中间是一个窄条形的、裱框起来
的真空荧光显示屏（VFD）。这表明了
设计师试图设计一个新颖的款式，但是
它的魅力还不够。从吸引消费者的角度
来说，在第二年推出的DW 30石英腕表
（第252页）则更成功。

ET 33 control LCD带外壳的袖珍计算器，1977年
迪特·拉姆斯，迪特里希·卢布斯
博朗公司

13.6厘米 × 7.6厘米 × 1.3厘米
0.08千克

塑料、亚克力
76 德国马克

这款ET 33计算器于1977年上市销售。与其前身ET 22（第228页）相比，它更薄一些，厚度只有13毫米。在数字显示方面，它改成了在一个浅色背景上以黑色数字显示的液晶显示器（LCD）。这款产品的保护外壳也有了改变，用了一个硬塑料壳的样式。这个外壳可以直接套在计算器的背后，在使用计算器时还可以兼作计算器的支托。有记忆功能的几个按钮也从之前的棕色改为了深绿色。

L 1030落地式扬声器，1977年
迪特·拉姆斯
博朗公司

70厘米 × 31厘米 × 26厘米
18千克

木材、铝材
798 德国马克

这款落地式扬声器于1977年首次上市销售。扬声器上面的穿孔金属网格罩的位置比底部的基座部分高一些，它不仅提升了网格罩的高度，同时在设计上也提升了产品的整体美学效果。它的顶部有两个醒目的带柄旋钮开关，它们可以用来调控中频和高频声音。第一批L 1030设备生产了17200台，并有了很多后续产品。例如，GSL 1030和L 1030-8型的产品（1978年和1979年开发的）就使用了与L 1030相同的样式，但是它们的控制装置都没有设计在顶部的水平面上。此外，博朗公司还开发了一系列3声道演播室监听音响（从SM 1002到SM 1005），并将其作为"整体演播室系统（integral studio system）"（第248页）的一部分；它们的穿孔金属网格罩与L 1030的样式也是相同的，去掉了L 1030设备底部的基座部分，这样可以直接放在书架或地板上。

紧随其后的是SM 1006和SM 1006 TC型产品，但是它们又再次加上了底部的基座。这些不同型号产品组成了一个非常令人迷惑的系列。

同系列产品还包括L 1030-4 US（1977）、GSL 1030（1978）、L 1030-8（1979）、SM 1002、SM 1003、SM 1004 和 SM 1005（1978）、SM 1006 TC（1979）、SM 1006 和 SM 1001（1980）。

LW 1低音炮、咖啡桌扬声器，1978年
迪特·拉姆斯，彼得·哈特温
（Peter Hartwein）
博朗公司

37厘米 × 70厘米 × 70厘米
33千克

木材、铝材
798 德国马克

这款低音炮扬声器可以给客厅空间带来
更强烈的低音效果。尽管贝多芬的乐
曲用这款扬声器也可以播放出更好的音
质，但它的设计目的主要还是为了迎合
当时以齐柏林飞船（Led Zeppelin）乐
队、平克·弗洛伊德（Pink Floyd）乐
队、大卫·鲍伊（David Bowie）和迈
克尔·杰克逊（Michael Jackson）等艺
术家为代表的高燃流行乐（high-octane
pop）和摇滚乐的大流行。这款设备以
每批1600台进行小批量生产。它具有双
重功能，既可以作扬声器，又可以作为
小边桌使用。

Jafra化妆品容器，1978年
迪特·拉姆斯，彼得·施耐德
吉列公司/嘉芙瑞（Jafra）公司

多种尺寸和重量

塑料
未出售

拉姆斯与彼得·施耐德合作，为吉列公
司的化妆品子公司嘉芙瑞公司设计了许
多瓶子、罐子和软管。此外，拉姆斯还
被委托重新设计博朗公司在加州马利布
市（Malibu）办公室的入口和门厅区域，
以及一个室外的装饰性喷泉，他与加州
圣巴巴拉市（Santa Barbara）的奥尔森
建筑设计事务所（Olson Architects）合
作完成了这项工作。嘉芙瑞公司成立
于1956年，它是由弗兰克·戴（Frank
Day）和简（Jan）夫妇联合创建的。它
作为一家直接面向消费者的公司，有一
支独立的技术咨询团队。"Jafra" 这个
名称是创始人的名字Ja（n）和Fra（nk）
的字母组合。

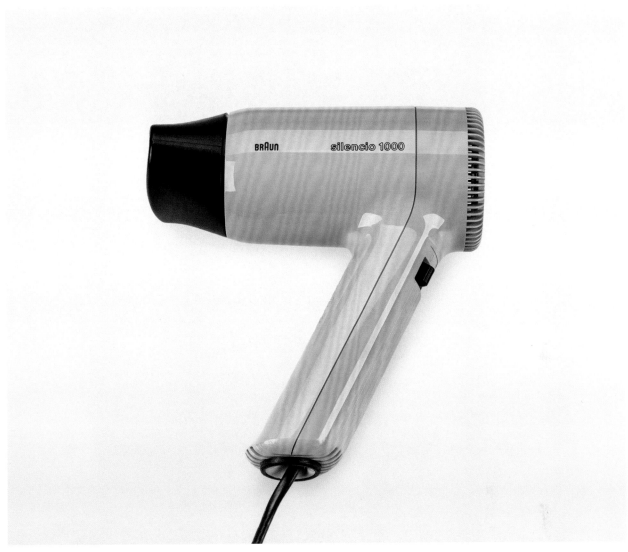

PGC 1000吹风机，1978年 / P 1000，
1988年
迪特·拉姆斯，罗伯特·奥伯海姆
于尔根·格雷贝尔
博朗公司

16厘米 × 15厘米 × 7厘米
0.25千克

塑料
29 德国马克

这款吹风机的手柄设计在当时引起了博朗销售部门和设计部门的激烈争论。博朗的销售部门当时仍然坚称自己为业务部门，并委托了达姆施塔特工业大学（Technische Universität Darmstadt）的人员对吹风机手柄符合人体工程学的正确位置进行研究，他们认为手柄应该向后倾斜。虽然后倾的手柄可能适合美发师使用，但博朗公司的设计团队却认为手柄前倾更适合使用者自己吹干头发。最终，博朗公司的设计团队赢了，并在博朗公司首席执行官保罗·斯特恩（Paul Stern）的支持下落实了这个方案。

同系列产品还包括P/PE 1500（1981）、PGS 1000和PGS/PGC/PGA/PGD/PGM/PGI/PS 1200（1982）、P/PE 1600（1985）、PX 1200 和 P 1100（1988）、PX 1600和PXE 1600（1993）。

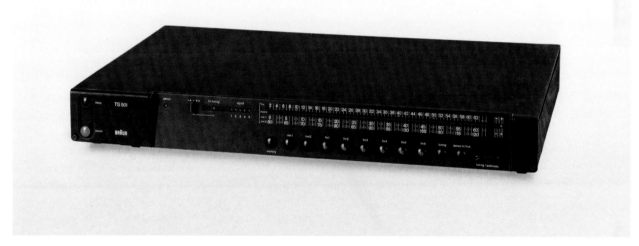

T 301，1978年/ TS 501调谐器，1978年
（如图所示）
迪特·拉姆斯，彼得·哈特温
博朗公司

50厘米 × 34.8厘米 × 6.5厘米
5千克

钢板、压铸铝
698 德国马克

拉姆斯在20世纪50年代末至60年代开发了一系列博朗的模块化高保真音响系统，如studio 2（第53页）、高端的1000系列（第130—131页）及其紧凑型regie音响设备（第153页）。接着，在20世纪70年代后期，他又开始推出一系列接收信号范围更广的新型高保真设备单元机。

这款设备的一个非常突出的亮点是厚度只有6.5厘米。要想做成这种超低的外壳样式，必须要配合采用一种新型的扁平式变压器。由于当时市场上并没有这种变压器，博朗工程师不得不自己研发。在这款设备的调谐器显示屏上有一排红色和绿色的LED灯，调频频率提高后，LED灯点亮的数量也随之增加。

TS 501型的功率更大，它增加了一个自动调谐功能，并且还带有一个翘板式启动开关，而不是常见的旋钮开关。博朗公司的这两款调谐器设备共生产了20500台。

A 301，1978年/A 501扩音器，1978年
（如图所示）
迪特·拉姆斯，彼得·哈特温
博朗公司

50厘米 × 34.8厘米 × 6.5厘米
8千克

钢板、压铸铝
698 德国马克

A 301扩音器和301/501系列中的其他产品一样，超低腰身设计也需要采用新型的变压器技术和电子元件的紧凑布局样式。这款设备令人印象深刻，它和功率更高的同款产品A 501在当时被认为是博朗扩音器的黄金范本。然而，这两款型号很快就又被AP 701功放设备超越了，它在外观上与前两者相同，但在性能方面则有所提高。这3款扩音器总产量约为19000台。

虽然乍一看这些设备正如在其黑色或灰色外壳上那些精细的操控界面所表现的那样似乎是高技术性的设备。但一旦使用起来，它们就会呈现出更加活泼有趣的特性。

在控制面板的中央有两行左右对称的LED灯条特别引人注目，因为它们是不断闪烁着的，用于跟踪传输到扬声器的输出电平。整个机身外壳由一块完整的金属板弯折而成，由两个黑色内六角螺钉在正前方固定金属板。位于两侧醒目的压铸金属散热片暗示了这款产品所具有的强大性能。尽管这款扩音器的设计十分低调，仅采用了单色系的外壳，并只在开关按钮和LED灯上有少许彩色，但当它运行起来时就会展现出另一幅强劲有力的画面。

同系列产品还包括AP 701（1980）。

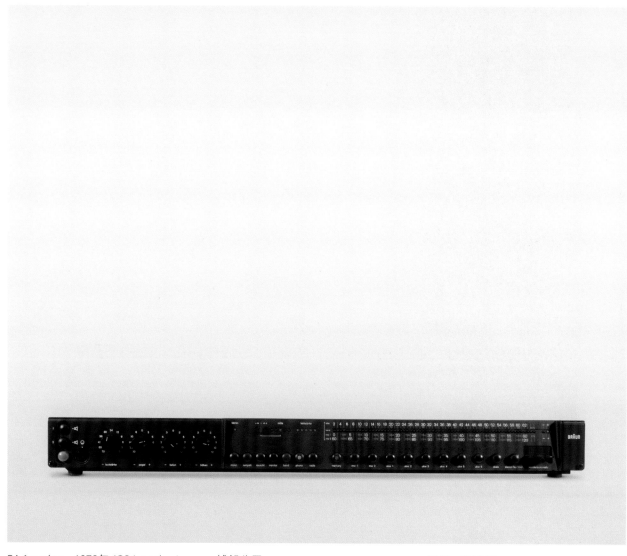

RA 1 analog，1978年 / RS 1 synthesizer
模拟接收机和合成器，1978年（如图
所示）
迪特·拉姆斯，彼得·哈特温

博朗公司
60.5厘米 × 34.8厘米 × 6.5厘米
9千克

钢板、压铸铝
1198 德国马克

这款设备是T 301调谐器和301扩音器
（第246—247页）的替代产品，它将这
两个单元机组合在一起构成了一款独立
的集成设备，可以接收模拟信号和数字
信号。博朗公司的这两个型号共生产了
14200台。博朗公司将这一系列新推出
的产品命名为"整体演播室系统"，它
们的外观设计比其竞争对手——日本设
备更加扁平和紧凑。拉姆斯在设计这款
产品时将扩音器放在了左侧、接收机放
在了右侧。他还将外壳宽度设计为与
PC-1磁带录音机和唱片机组合一体机
（上页）的宽度完全相同，以方便与其
他的模块化设备搭配。

整体演播室系统的所有单元机都配有一
个钢板材质的坚固外壳和压铸铝材质的
底座，这两个元素体现了高科技和设计
美学。这一系列产品的设计形式适用于
任何专业环境或家庭环境。这也是博朗
公司在德国生产的最后一套音响系统。
自此以后，所有博朗公司音响设备的生
产都转移到了远东地区。

PC 1磁带录音机–唱片机组合一体机，
1978年
迪特·拉姆斯，彼得·哈特温
博朗公司

11厘米 × 60.5厘米 × 33.5厘米
15千克

钢板、亚克力、塑料、橡胶
1998 德国马克

这款PC 1磁带录音机–唱片机组合一体
机的设计是与RA 1模拟接收机和RS 1合
成器（上页）匹配的。它集成了一年前
作为独立单元机发布的PDS 550唱片机
（第239页），多配了一个具有高质量同
步效果的磁带录音机，这是它独有的。
设备上的防尘罩用染色亚克力板制成，
它的样式类似于博朗公司设计的"白雪
公主的棺材"。这款PC 1产品共生产了
9300台。

同系列产品还包括PC 1 A（1979）。

regie 550 d数字接收机，1978年
迪特·拉姆斯
博朗公司

11厘米 × 50厘米 × 33.5厘米
14千克

钢板、铝材、塑料、亚克力
1498 德国马克

这款产品是regie系列（第227页）后期
发布的顶级机型。它带有一个可以显
示数字发射频率的屏幕，不过屏幕上的
精度指示方式保留了早期设备的指针样
式。相比来说，前一年发布的regie 530
就不同了，它只使用了一个电子数字显
示器，而非指针样式。这款regie 550 d
以每批2400台进行批量生产。

AB 21 s闹钟，1978年
迪特里希·卢布斯，迪特·拉姆斯
博朗公司

7.5厘米 × 8.2厘米 × 4.2厘米
0.1千克

塑料
39 德国马克

这款小巧的闹钟有一个横跨了整个钟表
宽度的停止按钮，位于闹钟顶部，便于
使用者在半梦半醒时方便按下按钮关闭
闹钟。在圆形钟表盘两侧的英文字母增
加了这款闹钟结构的整体感，营造出了
一种更均衡的设计效果。

同系列产品还包括AB 22（1982）。

DW 30石英腕表，1978年
迪特·拉姆斯，迪特里希·卢布斯
博朗公司

4厘米 × 2.8厘米 × 0.7厘米
0.03千克

金属、镀铬、玻璃、皮革
445 德国马克

DW 30腕表与1977年发布的DW 20（第
240页）不同，前者呈现出了一个更有
说服力的外观效果。腕表上矩形的数字
显示屏嵌套在一个方形的表盘外壳上，
表盘外壳又与一条黑色表带无缝衔接。
在这款产品中可以充分欣赏到博朗公司
标志性的黑色与银色的色彩组合方案。
腕表上有一块略微凸起的面板将表盘的
顶部区域分隔出来，上面带有一个小小
的博朗公司标志。在数字显示屏的下方
有两个半椭圆形的手表调节按钮。

travel 1000迷你型世界波段收音机的原
型机，1978年
迪特·拉姆斯
博朗公司

9厘米 × 24厘米 × 4厘米
0.5千克

塑料
未出售

拉姆斯和他的设计团队向公司提交了这
份迷你型收音机的设计图，试图延续
博朗公司音响部门的业务。这款原型机
是基于博朗公司20世纪50年代的袖珍
收音机设计的。但这个设计方案并没有
赢得公司管理层的认同。这款矩形设备
的左侧是一个显示界面，右侧是一个圆
形的扬声器，而所有控制按钮都排列在
中间。

ABR 21 signal radio，1978年 / ABR 21 FM 时钟收音机，1978 年（如图所示）
迪特·拉姆斯，迪特里希·卢布斯
博朗公司

11.5厘米 × 18厘米 × 6.7厘米
0.5千克

塑料
129 德国马克

早上被闹钟的响铃叫醒是一回事，无论什么样的闹铃声都一样。但是，早上被你自己最喜欢的广播电台声音唤醒却是另外一回事。自从博朗公司在1971年通过phase 1产品（第179页）跨入了电子闹钟领域之后，将博朗公司主营核心业务，也就是将博朗收音机集成到电子闹钟上面似乎成了一个非常自然的设计进程。在这款产品的首次亮相中，拉姆斯和迪特里希·卢布斯也借机展示了后者在1975年为functional数字闹钟（第218页）开发的翘板式开关按钮，这种开关上有两个相连的圆形凸面。这款设备在机身顶部的边缘处共设置了4个开关按钮，可控制所有必要的功能。这种翘板式开关上的同心圆元素也体现在了机身正面的两个大圆圈上，其中一个是时钟的表盘面，另一个是环绕在扬声器穿孔网格板周围的环状调频刻度表。这种将时钟和调频刻度表并列的设计样式也可以在更早的（约1951年左右）由克罗斯利广播公司（Crosley Radio Corp.）发布的D-25时钟收音机上见到。但ABR 21通过极简设计和转角设计所展现的流行的北美设计风的灵感却来自于华丽的摩登流线型建筑风格（Streamline Moderne style）。这款产品有黑色和白色两种颜色可供用户选择。

outdoor 2000便携式音响系统的原型机，
1978年
迪特·拉姆斯
博朗公司

28厘米 × 47厘米 × 17厘米
8千克

塑料、金属、铝材
未出售

1978年，拉姆斯设计了这款户外便携式
音频播放器。这款高保真音响设备是由
相连并各自带有棱角和斜面的两部分构
成。机身可以左右滑开使用，滑开后会
露出一个黑色的控制面板和一个立式磁
带录音机。

这款功能强大的设备基于传统的T 1000
（第106页）和T 2002（第167页）收音
机样式设计。它的引人注目之处是内置
扬声器的梯形结构样式。在朋友聚会上
获得良好的声音效果比获得良好的无线
电接收更重要。这款设备旨在作为当时
流行的大功率手提式大型收录机的高质
量替代品。虽然它没有投入生产，但博
朗公司还是在1979年3月3日为它申请
了设计专利。

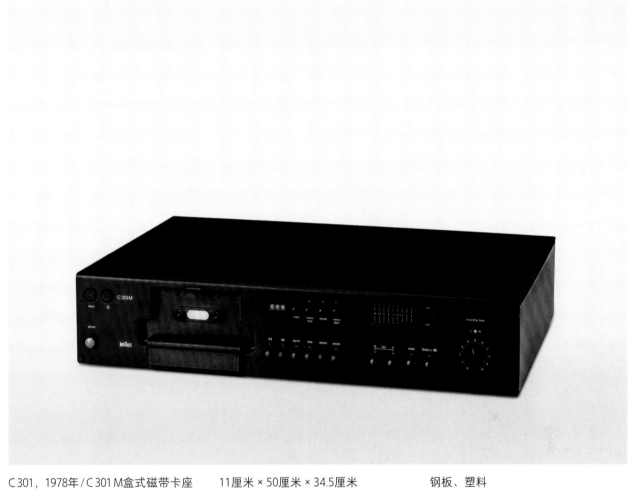

C 301，1978年 / C 301 M盒式磁带卡座
机，1979年（如图所示）
迪特·拉姆斯，彼得·哈特温
博朗公司

11厘米 × 50厘米 × 34.5厘米
8千克

钢板、塑料
798 德国马克

设计这款盒式磁带卡座机是作为regie
音频系列的一个补充单元机。它的控制
按钮是基于regie 550（第227页）设计
的，机身上还设置了两条LED灯条指示
输入的信号。盒式磁带的卡口以直立的
形式安放在机身正前方的面板上，这种
结构设置与那种体型较大的盘对盘磁带
录音机相似。C 301系列的两款产品共
生产了48000台。

audio additiv关于高保真音响系统的研　　多种尺寸和重量　　　　　　　　　　塑料、亚克力、木材
究，1978年　　　　　　　　　　　　　　　　　　　　　　　　　　　　未出售
迪特·拉姆斯，罗兰·乌尔曼
博朗公司

这几款等比例样机模型是为一套创新型
音响系统设计的。它们也遭遇了与拉姆
斯的outdoor 2000便携式设备（第256
页）和travel 1000迷你型收音机（第
253页）相同的命运。当时博朗公司的
美国所有者已经不准备再继续发展亏损
的音响部门了。如果这些高度图形化、
全新的模块化设计方案能够得以实现，
那么它将会与博朗公司过去的设计截然
不同。这个设备名称"additiv"是取自
于为这款音响系统所设计的一个有源扬
声器，技术工程师可以在这个有源扬声
器上添加一些用于提高功率水平的小
配件。

LC 3 in concert架式或壁挂式扬声器，
1978年
迪特·拉姆斯，彼得·哈特温
博朗公司

44厘米 × 28厘米 × 23厘米
7.5千克

层压木、胡桃木单板、织物
248 德国马克

1978年，博朗公司发布了几款价格低
廉的in concert系列扬声器，并售出了
5万台。但它的音质却无法与博朗公司
早期的高保真扬声器相比。为了尽可能
地降低生产成本，设计师们选择了矩形
机身外壳，并使用了一款织物材质的扬
声器喇叭外罩。不过，在它的下部留出
了一块区域没有用织物覆盖。这一系列
产品中最便宜的ic 50型的价格仅为149
德国马克。

同系列产品还包括ic 50、ic 70 和 ic 90
（1979）。

ET 44 control CD袖珍计算器，1978年
迪特里希·卢布斯
博朗公司

14厘米 × 7.3厘米 × 1.2厘米
0.07千克

塑料、亚克力
62 德国马克

迪特里希·卢布斯的ET 44袖珍计算器
与其前身ET 22和ET 23（第228页）类
似，也是以其拉长形式的记忆功能按
钮而独具特色，而所有后来的博朗公
司设计的计算器型号都只使用了圆形
的按钮。为了降低公司对亚洲工业和
制造技术的依赖，ET 44是唯一一款
完全由博朗公司工程师设计，并在德
国巴伐利亚州的马克特海登费尔德镇
（Marktheidenfeld）的工厂中制造的袖
珍计算器。

SM 2150落地式演播室监听音响，1979年
迪特·拉姆斯，彼得·哈特温，
彼得·施耐德
博朗公司

148.5厘米 × 29厘米 × 29厘米
46千克

涂漆木材、铝材、金属
1798 德国马克

这款由上下两部分构成的塔式监听音响
以每批800台进行批量生产。它标志着
博朗公司售价昂贵的扬声器时代的终
结。不过，昂贵产品也并没有完全消
失，因为博朗公司的几个音响工程师后
来在德国陶努斯地区又成立了一家名为
（Canton）的公司，他们在那里继续实
施之前在博朗公司工作时形成的一些设
计创意。

DN 50闹钟，1979年
路德维希·利特曼（Ludwig Littmann）
博朗公司

7.5厘米 × 11.1厘米 × 15厘米
0.35千克

塑料
82 德国马克

这款小型数字闹钟由显示屏和支架两部
分组成，整体外观呈直角形，这意味着
使用者只能从机身正面看到时间的数字
显示。

sixtant 4004电动剃须刀，1979年
迪特·拉姆斯，罗伯特·奥伯海姆，
罗兰·乌尔曼
博朗公司

12厘米 × 6厘米 × 2.5厘米
0.3千克

金属、塑料
84 德国马克

尽管博朗公司的micron型剃须刀于1976
年就上市了，但在1991年之前，博朗
公司的多种不同sixtant型号都是作为
micron的低价替代品销售的。这款剃须
刀的外形与1973年发布的sixtant 8008
产品相似（第199页）。

同系列产品还包括compact S（1979）。

micron plus，1979 年/ micron plus de luxe
充电式电动剃须刀，1980 年（如图所示）
罗兰·乌尔曼
博朗公司

11.5厘米 × 6厘米 × 3.2厘米
0.3千克

塑料、铝材、不锈钢
149 德国马克

博朗公司的micron剃须刀系列最早是根据1976年的micron模型样机开发的。这一系列产品推出了一种新颖的、许多产品设计师至今仍在使用的设计元素，即一款将硬塑料和软塑料结合在一起的触觉抓握面，它创造了一个手感舒适且具有完全不同质感的外壳面。这种不同寻常的外壳质感是博朗公司工程师与塑料制造商拜耳（Bayer）公司合作开发的一种创新注射成型技术的结果，这种技术允许在一个生产过程中同时制造出硬态和软态塑料。

拜耳公司和博朗公司在后续产品的设计中，如1980年的micron plus deluxe型号，进一步改进了这项技术。他们将软塑料抓手与硬铝外壳结合在一起，创造了新一代高品质的剃须刀。所有micron plus型号都是无电线绳的，它配有一块可充电的电池，所以可以不插电使用。

同系列产品还包括micron 2000（1979）。

Nizo integral 7带录音功能的超8摄影
机，1979年
彼得·施耐德
博朗-尼佐联合公司

17.5厘米 × 28厘米 × 7厘米
1.25千克

塑料
1098 德国马克

integral摄影机产品系列是博朗-尼佐联
合公司新推出的一款设计。彼得·施耐
德保留了之前2056 sound型摄影机所用
的（第236页）手柄的斜向方位，但他
在手柄的伸缩杆上集成了一个麦克风。
这个将麦克风放在斜向位置上的结构设
计既可以使它尽量远离摄影机马达的噪
声，又能够让它依然获益于摄影机内置
音频设备的便利性。这款摄影机还采用
了一种新的控制按键设计，它将之前的
旋钮改成了一系列滑动开关，从而使操
作摄影机的速度变得更快了。

SM 1002 S架式或壁挂式的演播室监听
音响，1979年
迪特·拉姆斯，彼得·施耐德
博朗公司

30.5厘米 × 30.5厘米 × 17.5厘米
5千克

层压木、阳极氧化铝
298 德国马克

这款功能强大的矩形演播室监听音响非
常适合摆放在搁架上。由于扬声器金
属网格罩的圆角半径要比四周机身外壳
的大一些，所以在网格罩的每个顶角位
置都形成了一个微妙的拱肩效果，进而
从视觉上突出了金属网格罩的三维立体
效果。

1980—1989

RS 20桌上台灯的原型品，1980年　　　尺寸和重量未知　　　　　　金属、塑料
迪特·拉姆斯　　　　　　　　　　　　　　　　　　　　　　　　未出售
博朗公司

1980年，拉姆斯提出了一个可以安装
在桌子上的台灯设计方案，但这个方案
未被采用。这款台灯上有一根可以伸缩
的弹簧软管，连接着垂直支撑杆和水平
支撑臂，伸缩软管可以调节台灯灯头的
位置。

RS 10桌上台灯的原型品，1980年　　尺寸和重量未知　　　　　　金属、塑料
迪特·拉姆斯　　　　　　　　　　　　　　　　　　　　　　　未出售
博朗公司

除了RS 20型台灯原型品（上页）之外，
拉姆斯还提出了第二款博朗桌上台灯的
设计方案，但这个设计也没有被采用。
这款台灯在不使用时，水平的灯头支撑
臂可以向下折叠到垂直的支撑杆上，这
个设计特点曾经让销售部门一度考虑要
把它作为旅行台灯来推销。

H 80风扇型暖风器的原型机，1980年
迪特·拉姆斯
博朗·埃斯帕尼奥拉公司

24.7厘米 × 12厘米 × 18.5厘米
1.15千克

塑料
未出售

这是一款既能制热又能制冷的多动能风扇，它是拉姆斯与博朗·埃斯帕尼奥拉公司的设计团队一起开发的，专门面向西班牙消费市场。西班牙南部的冬季气候温暖，所以那里的许多房屋都没有安装暖气，而夏季却又有些炎热。因此，H 80的设计目的就是为了同时满足制热与制冷的两个需求，旨在填补人们住进房间但还没有安装空调之前那段时间的市场空白。这款设备在垂直机身的顶部有一个向上的斜面，上面设有两个带柄的大旋钮开关，分别用来控制温度和风扇转速。空气从机身的侧面吸入，然后热风或凉风通过机身正面的水平横槽从正前方吹出来。

这款原型机背面的上部还有一个用来移动和运输设备的嵌入式拉手。此外，拉姆斯还设计了一个可以用来将它固定在墙壁上的壁挂式支架。

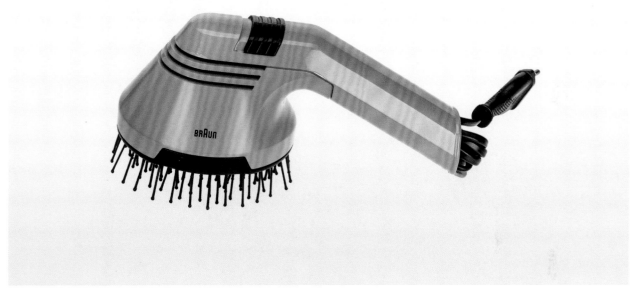

一款热风梳的原型机，约1980年
迪特·拉姆斯，于尔根·格雷贝尔
博朗公司

9.5厘米 × 21厘米 × 10.5厘米
0.45千克

塑料
未出售

这款热风梳可以代替吹风机，而且特别
适合打理长发。这款热风梳的手柄还有
一个小倾斜度，它的这个设计特点也呼
应了1978年生产的PGC 1000吹风机（第
245页）的设计样式。

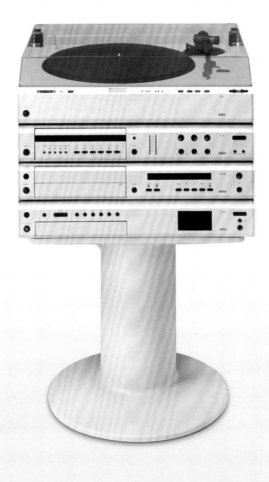

atelier高保真音响系统，1980—1990年　　69厘米×44.5厘米×37厘米　　　　钢板、塑料、铝材
彼得·哈特温，迪特·拉姆斯　　　　　多种重量　　　　　　　　　　　　更多细节请参见各个具体型号
博朗公司

这是博朗公司atelier高保真系列中的最后一套组合产品。atelier系列产品的生产销售在博朗公司持续了10年，经历了4代产品。它涵盖的主要设备范围包括调谐器、扩音器、前置扩音器、接收机、唱片机、扬声器、盒式磁带卡座机、CD播放器、支撑底座、电视机和VHS录像机，以及操作各种设备的遥控器。这里所展示的这款音响系统最初的设想是作为博朗瘦身版音响系列（第237页）的一个低价替代品，它也采用了与之类似的6.5厘米低腰身的高度设计。这款组合产品中的每个单元机在顶部和底部的边缘位置上都切出了一个斜角，增强了其薄纤的外观效果，并有助提高它们在视觉上的统一感。

这款组合产品中的单元机分别由远东地区的几家不同公司生产。随着同系列单元机的相继推出并纷纷加入这套组合系统中，它的整体技术也变得越来越强大，而总体价格也随之变得越来越昂贵。

1981年，吉列公司将博朗亏损的高保真音响部门的80%股份出售给了戈德哈德·古恩瑟（Godehard Günther），后者是a/d/s（模拟和数字系统）公司的美籍德裔创始人，他希望这个部门能继续以博朗的品牌运营下去。然而，这个公司也没有成功，其经营的业务依然持续亏损，尤其是在美国地区的业务更加糟糕。

1989年，吉列公司回购了古恩瑟的股份。但仅在一年后，即1990年6月11日，a/d/s公司的总经理恩斯特·福特曼（Ernst F. Ortmann）就对外宣布了博朗高保真业务的结束，他宣称："作为公司未来业务战略规划的一部分，博朗公司董事会已决定在即将到来的1990—1991年度逐步淘汰其高保真业务。"我们这里的这套atelier音响系统就是在这个年度中规划出来的，并作为博朗的最后一代高保真产品进行销售。萨尔布鲁克（Saarbrücken）公司旗下的马克西莫维奇伙伴（Maksimovic & Partners）公司围绕它展开了一场规模宏大的、花费了250万德国马克的广告宣传，效果非常显著，共计有6900套包含了各种型号、无盒装的组合系统迅速地在6个月内以5000～10450德国马克的售价纷纷找到了买家。

T 1 atelier音响系统配套的调谐器，
1980年
彼得·哈特温，迪特·拉姆斯
博朗公司

6.5厘米 × 44.5厘米 × 37厘米
6千克

钢板、塑料、铝材
468 德国马克

这是一款为atelier音响系统设计的调谐器。它将交互操控界面精简为只包括以下几个要素：全数字格式的调频波段显示器；两排用来显示输出电平的LED指示灯；几个使用较少的控制按键隐藏在左侧的一个铰链式盖板的后面，留下的控制按键只有4个小圆形主操作按钮、一个大圆形调谐拨号旋钮，以及人们熟悉的博朗绿色电源开关按键。这款调谐器设备总产量为2万台。

同系列产品还包括T 2（1982）。

A 1, 1980年 / A 2 atelier音响系统配套
的扩音器, 1982年（如图所示）
彼得·哈特温, 迪特·拉姆斯
博朗公司

6.5厘米 × 44.5厘米 × 37厘米
9千克

钢板、塑料、铝材
598 德国马克

A 1扩音器的整体结构与调谐器（上页）
相似。一些使用较少的高音和低音旋钮
开关隐藏在左侧铰链式盖板的后面。机
身右侧有一个调节音量的大圆形旋钮，
其四周环绕着以白色小短线标记的音量
刻度。此外，两个带柄的旋钮开关负责
控制功能设置。这两个型号的扩音器总
产量为2万台。

C 1 atelier音响系统配套的磁带录音机，1980年
彼得·哈特温，迪特·拉姆斯
博朗公司

6.5厘米 × 44.5厘米 × 37厘米
8.3千克

钢板、塑料
848 德国马克

C 1磁带录音机的特点是有可以前伸的抽屉式托盘隔间。在这个托盘隔间中可以将卷盘磁带以水平方式放置并播放，而不是以常见的垂直方式播放。这个抽屉式的托盘隔间既可以弹出来，也可以缩回到设备内部。这是博朗公司第一次采用这种伸缩隔间的设计方式。当录音机在录制时，机身上的两个大防滑旋钮可以用来微调输入信号，进而点亮两条纵向的LED灯条。所有同系列的磁带录音机共生产了45000台。

同系列产品还包括C2（1982）、C3（1983）、C4（1987）、C23（1988）。

P 1 atelier音响系统配套的唱片机，
1980年
彼得·哈特温，迪特·拉姆斯
博朗公司

11.5厘米 × 44.5厘米 × 37厘米
5千克

钢板、塑料、铝材、亚克力
688 德国马克

atelier系列的P 1唱片机与博朗公司的所
有其他唱片机一样，也带有一个透明的
亚克力防尘罩。但该亚克力防尘罩的前
边缘经过了特殊的斜切处理，以使它与
机身外壳边缘的切斜处理方式相配合。
这个简单却引人注目的设计细节是拉姆
斯提供给彼得·哈特温的建议。这使它
成为在atelier堆栈式组合音响系统的各
个单元机中最适合被完美地放置在顶层
的单元机。除了电源按钮之外，设备上
所有的控制按键都被设置在机身正前方
顶部边缘的斜面上，在防尘罩的下方。4
种不同型号的唱片机，总产量为5万台。

同系列产品还包括P 2 和 P 3（1982）、
P 4（1984）。

R 1 atelier音响系统配套的接收机，
1981年
彼得·哈特温，迪特·拉姆斯
博朗公司

6.5厘米 × 44.5厘米 × 37厘米
7.9千克

钢板、塑料、铝材
1250 德国马克

这是一台接收机和扩音器的集成一体机，也被纳入atelier音响系统中。这款设备的交互控制界面比同系列中的其他设备复杂一些。它的旋钮开关和凸面按钮的设计在很大程度上是取自博朗公司的瘦身版音响系列（第237页）。这款设备在使用时，频道显示屏上的绿色数字与小三角形的红色LED微调指示灯刚好形成了鲜明对比。这款设备与博朗公司自20世纪60年代以来生产的所有高保真音响系统一样采用了醒目的绿色电源按钮，让使用者可以立即清楚地知道如何使用设备。

自1987年开始开发的R 4型号接收机是博朗公司为atelier系列开发的最后一款独立的接收机。它的设计目的是为了与其他的外部设备相兼容，如与个人电脑相兼容等。所有上述这些R系列的接收机总产量为35000台。

同系列产品还包括R2（1986）、R4（1987）、R4-2（1989）。

CD 3，1985年 /CD 4 atelier音响系统配　　　　6.5厘米 × 44.5厘米 × 37厘米　　　　钢板、塑料、铝材
套的CD播放器，1986年（如图所示）　　　　8.6千克　　　　　　　　　　　　　2200 德国马克
彼得·哈特温，迪特·拉姆斯
博朗公司

这是atelier音响系统中配套的 CD播 放
器，它的上市时间比同系统中的其他单
元机晚一些，这是因为博朗公司必须要
等待CD技术发展成熟。这款设备与C 1
磁带录音机（第278页）类似，它也有
一个电动的托盘隔间，可以插入和弹出
CD唱片。该系列5种不同型号的CD播放
器总产量为55000台。

同系列产品还包括CD 2 和 CD 5（1988）、
CD 23（1989）。

AF 1 atelier音响系统的底座，1982年　　36厘米 × 37.5厘米 × 25.1厘米　　塑料
迪特·拉姆斯　　　　　　　　　　　3.3千克　　　　　　　　　　　　300 德国马克
博朗公司

这款圆柱形的底座可以使atelier音响系
统的各个单元机一层层堆叠起来，组合
为一套站立式的音响系统。这套音响系
统中每款单元机的机身背面都有一个后
盖，用来隐藏设备的电源线和连接线。
而所有单元机的配线全都从底座的圆柱
管中穿过，并固定在底座背面的一根管
子中。这款底座的隐藏结构设计从视觉
效果上保持了组合音响系统的整体性和
美观性，并能摆放在房间中的任何地方。

LS 60，1982年/ LS 80 atelier音响系统配　37厘米 × 22.5厘米 × 21.5厘米　木材、铝材
套的扬声器，1982年（如图所示）　6.9千克　400 德国马克
彼得·哈特温，迪特·拉姆斯
博朗公司

博朗公司还为atelier音响系统开发了一
系列扬声器设备。这几款扬声器的机身
外壳边缘也带有独特的切割斜面，这在
视觉上与atelier系统的其他单元机相统
一。同时，这个将边缘切割成斜面的设
计特点也体现在了这款扬声器金属网格
罩的边缘结构上。此外，拉姆斯还获得
了一项关于金属网格罩连接机制的设计
专利，它是使扬声器的金属网格罩更方
便安装和拆卸的卡槽设计。

同系列产品还包括LS 70、LS 100 和 LS
120（1982）、LS 150（1982-7）、LS 40
（1983）。

RC 1 atelier音响系统遥控器，1986年
彼得·哈特温
博朗公司

4.4厘米 × 7.8厘米 × 19.5厘米
0.25千克

塑料
300 德国马克

RC 1通用遥控器用于遥控atelier音响系统中那些后期开发的单元机。它的控制按钮是与atelier组合系统中每个单元机的不同功能相匹配的。尽管这种多设备、多功能的操控较复杂，并不适合应用于模拟音频技术，但拉姆斯的这款遥控器的设计则很简单，而且非常方便用户使用。这款遥控器总产量为32000个。

TV 3 atelier音响系统配套的彩色电视机，　59.2厘米×65厘米×49厘米　　塑料
1986年　　35千克　　2700 德国马克
彼得·哈特温，迪特·拉姆斯
博朗公司

1986年，博朗公司发布了一款电视机，
并将其作为与atelier音响系统配套的一
个单元机。它与博朗公司的所有在拉姆
斯监督下设计的电视机一样也有一个稍
微向外凸出的全画幅屏幕。这款电视机
与传统电视机有所不同，它的电视屏幕
可以调整角度并向上倾斜。这样就可以
直接将这款电视机放在地板上观看了。
这款产品总产量为1万台。

dymatic袖珍打火机，1980年　　　　7.5厘米×3厘米×1.8厘米　　　铝材、塑料
迪特·拉姆斯　　　　　　　　　　0.15千克　　　　　　　　　　84 德国马克
博朗公司

这款袖珍打火机方便携带，兼具了实用
性和美观性。机身外壳和点火开关的
矩形样式共同构成了一个引人注目的整
体。同时，用打火机点火时，拇指按下
扳机的位置是远离火苗的，更安全。这
款dymatic的后续产品club打火机的机
身则更窄小一些。

同系列产品还包括club（1981）。

variabel蜡烛打火机，1981年
迪特·拉姆斯
博朗公司

17.5厘米 × 3厘米 × 1.8厘米
0.25千克

铝材、塑料
155 德国马克

dymatic、club和variabel是博朗公司发
布的最后3款打火机。从dymatic产品的
基本形状（上页）开始，博朗公司打火
机的腰身便被逐渐拉长，一直到variabel
产品的形状被拉伸到足以形成这款精致
的蜡烛打火机。

ET 55 control LCD袖珍计算器，1981年
迪特·拉姆斯，迪特里希·卢布斯
博朗公司

13.6厘米 × 7.8厘米 × 1厘米
0.4千克

塑料、亚克力
76 德国马克

ET 55是博朗公司第一种为用户同时提
供了白色和黑色两种颜色的计算器。它
的生产持续了6年，是所有博朗袖珍计
算器中生产寿命最长的一个。

ABR 11时钟收音机，1981年
迪特里希·卢布斯，迪特·拉姆斯
博朗公司

15厘米 × 21.5厘米 × 10厘米
0.9千克

塑料、亚克力
172 德国马克

ABR 11是ABR 21时钟收音机（第254—255页）的后续产品。拉姆斯和迪特里希·卢布斯运用了与之前类似的产品结构开发了这款体型更大的收音机，音效方面也有了很大改进。机身顶部边缘安装了两根长金属杆，按下金属杆可以关闭闹铃。它的闹铃设置使用的是24小时计时制，所以在一天之中闹铃时间只能响铃一次。

一款照明火把的原型品，1982年
迪特·拉姆斯，路德维希·利特曼
吉列公司

18厘米 × 4.3/9厘米（直径）
0.35千克

塑料、玻璃
未出售

这款照明火把是拉姆斯与吉列公司的波
士顿工程师团队合作开发的。它适用于
户外，可使用气体罩和丁烷气罐点燃火
焰。但由于两个团队之间的沟通不足，
合作进程不顺利，因此这个项目始终未
能成功。

Heladora IC 1冰激凌机，1982年
迪特·拉姆斯
博朗·埃斯帕尼奥拉公司

12厘米 × 27.5厘米 × 16.5厘米
0.9千克

塑料、亚克力
价格未知

冰激凌制作在西班牙有着特殊的意义。这款产品是拉姆斯与博朗·埃斯帕尼奥拉公司的工程师团队合作设计的，它让消费者可以在家里做出专业品质的冰激凌。冰激凌在机器中被混合好之后就可以取下容器内胆，并将其放入冰箱中冷藏。设备的大搅拌碗、搅拌臂和电源动力装置以一种干净利落的形线样式组合在了一起。

Secudor Pistola PG-700旅行吹风机，
1983年
迪特·拉姆斯，罗伯特·奥伯海姆
博朗·埃斯帕尼奥拉公司

15.5厘米 × 12.8厘米 × 4.8厘米
0.25千克

塑料
价格未知

这款旅行吹风机是由博朗·埃斯帕尼奥拉
公司的工程师团队针对西班牙市场开发
的，它再现了罗伯特·奥伯海姆同年在克
伦伯格总部制造的compact 1000的设计。
不过，西班牙版本的手柄稍大些。这个手
柄部分与奥伯海姆之前的设计相似，也可
用来收纳电源线绳。

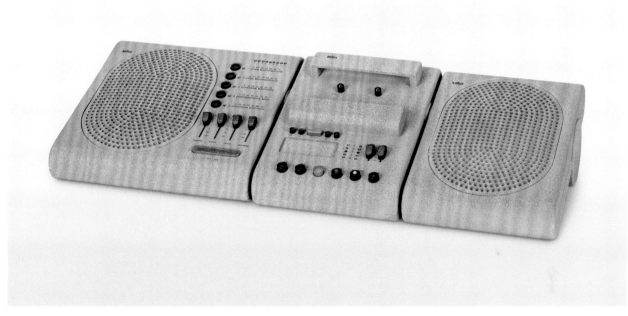

一款含磁带录音机附件的时钟收音机的
原型机，1982年
迪特·拉姆斯，迪特里希·卢布斯
博朗公司

9.3厘米 × 16.2/23.2厘米 × 22.5厘米
0.13～0.17千克

塑料
未出售

为了让一台时钟收音机音质更好，需要
给它配置一个大号的扬声器。就这款原
型机而言，其椭圆形的扬声器网格罩是
借用了L 308扬声器（第200页）的样式，
而扬声器网格罩的旁边有一系列的滑动
控制键和按钮。这款看起来像讲台形状
的设备还可以与一个配套的磁带录音机
进行连接，这样用户就可以将自己喜欢
的歌曲设置为闹铃。

汉莎航空竞赛的参赛作品机上餐具原型，　　多种尺寸和重量　　　　　　　　塑料、陶瓷
1983年　　　　　　　　　　　　　　　　　　　　　　　　　　　　　　　未出售
博朗设计团队，迪特·拉姆斯
汉莎航空公司（Lufthansa）

1983年，拉姆斯和他的设计部门应邀
参加了一场比赛，为汉莎航空公司重新
设计机上餐具。拉姆斯团队参与这个比
赛的目的是想让设计小组在今后可以承
接更多的外部项目。而他们唯一的竞争
对手是设计师沃尔夫·卡内格尔（Wolf
Karnagel），而后者最终赢得了这场比赛。

博朗团队设计了许多款产品，从盐瓶到
咖啡壶，以及各种容器。特别值得注意
的是这款瓷杯的设计借鉴了拉姆斯8年
前的开发理念（第216页）。这款杯子
的耐热塑料手柄使用时更安全。

一款剃须刀的原型品，1983年
迪特·拉姆斯，于尔根·格雷贝尔
吉列公司

23.3厘米 × 12厘米 × 4厘米
0.02千克

塑料
未出售

这款剃须刀是作为octagon型号剃刀
（下页）的替代产品而开发的，同时拉
姆斯和于尔根·格雷贝尔还提出了其他
几种设计方案。这款剃须刀的设计特点
是在手柄上刻有一排凹槽。

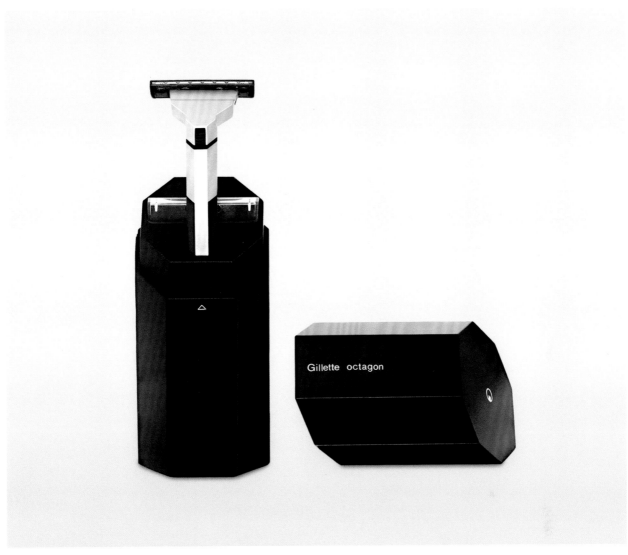

Gillette octagon精品剃须刀及其包装盒
的原型品，1983年
迪特·拉姆斯，于尔根·格雷贝尔

吉列公司
尺寸和重量未知

塑料、金属、镀铬
未出售

1983年，吉列公司委托博朗设计团队
打造一款高品质的剃须刀。于是，拉姆
斯和于尔根·格雷贝尔给出了这款带有
一个八角形黑色手柄的设计方案。这款
剃须刀的上下两端采用的都是引人注目
的镀铬表面，而手柄的材质则是压铸金
属。相对于重量轻的塑料剃须刀，重量
更大的剃须刀使用起来更高效、更舒
适，使用者不必费力地将它贴压在皮肤
上。拉姆斯和格雷贝尔在这个产品设计
中采用了带横纹肌理的抓握手柄，手感
更好。这款剃须刀的刀头与标准化的塑
料剃须刀的刀头不同，其材料为珍贵的
木材，并对棱角进行了抛光处理，而且
还选择了珍珠母色彩，所有这些小细节
都增强了这款产品的高档感。设计师们
还将这款剃须刀全部装在一个精致的八
角形包装盒里。

在包装盒子上有一个小三角形符号，它
标出了盒体上下两部分可以被拉开的位
置。包装盒盖子的上表面是一个略微向
前倾斜的平面，印上了吉列公司标志，
而这个细节是由沃尔夫冈·施密特领导
的博朗平面设计部设计的。

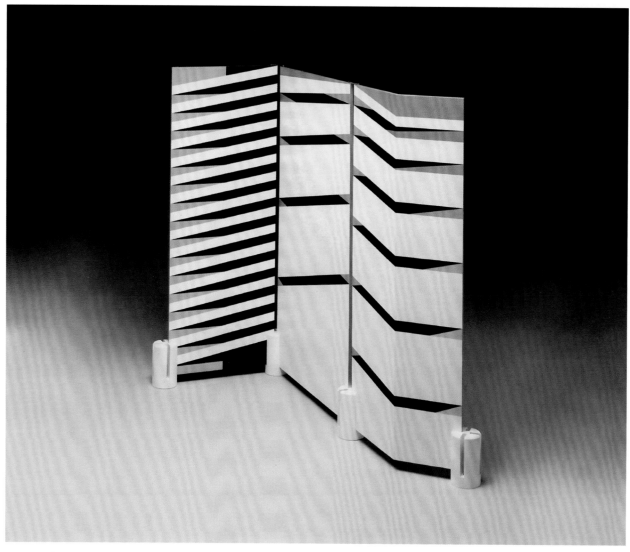

Paravent房间隔断，1984年
迪特·拉姆斯，马塞洛·莫兰迪尼
（Marcello Morandini）
卢臣泰（Rosenthal）公司

175厘米 × 65/100厘米 × 3厘米
约10千克

层压木
价格未知

拉姆斯接受德国陶瓷和家居用品公司——卢臣泰公司的委托，为一款房间隔断设计了基本框架，然后再由意大利艺术家和平面设计师马塞洛·莫兰迪尼进行详细设计。这个设计项目是由小菲利普·罗森塔尔（Philip Rosenthal）发起的，他是卢臣泰公司创始人老菲利普·罗森塔尔的儿子和继承人。小菲利普对艺术有着浓厚的兴趣，并在他担任首席执行官期间参与了许多艺术家联名项目。这一设计也表明了这家公司当时正打算进入家具市场。

拉姆斯当时提交的设计稿仅包括了房间隔断的3块镶板的主体结构，之后由罗森塔尔手下的几位艺术家和设计师分别提交设计细节方案。其中，莫兰迪尼提出的设计方案是唯一被拉姆斯认可和接受的方案。这款Paravent房间隔断是限量生产的，共生产了25件带有签名和编号的产品。

AB 2闹钟，1984年
于尔根·格雷贝尔，迪特·拉姆斯
博朗公司

9.2厘米 × 7.5厘米 × 3.5厘米
0.05千克

塑料、亚克力
29.95 德国马克

这是拉姆斯和于尔根·格雷贝尔设计的
AB 2闹钟，它的设计灵感来源于一款经
典的桌上时钟，只不过这里的AB 2闹钟
是用塑料制成的。AB 2闹钟有着独特的
支脚和令人熟悉的博朗钟表盘样式，它
为用户提供了9款不同颜色的产品。

KF 40咖啡机，1984年
哈特维格·卡尔克（Hartwig Kahlcke）
博朗/德龙（De'Longhi）公司

30.7厘米 × 17.5厘米 × 23厘米
1.6千克

塑料、玻璃
70 德国马克

1984年，也就是在KF 20咖啡机（第190—191页）问世的12年后，哈特维格·卡尔克又推出了KF 40咖啡机。这款产品至今仍在生产，现在博朗/德龙公司出售KF 47/1型号。在这款产品中，位于机身后部的从上到下贯穿的一个大储水罐是直接与底座相连的，因此整台设备只需要配有一个加热系统就可以了。它的两个堆叠起来的圆柱体结构参考了KF 20产品的塔式结构，但整体机身比前代产品更短粗一些。这款设备功能齐全且使用方便。使用者可以打开咖啡机上部的过滤隔层，直接更换咖啡滤纸。在机身后部大储水罐的背部外壳上还带有压铸成型的纵向垂直条纹，它可以增强机身外壳在视觉上的纵向延展效果。

这款咖啡机的另一个显著特点是它有一个半圆形的玻璃壶把手，并且在半圆形内部还有一根小撑杆，这个设计使它更容易被抓握和使用。同时，把手的开放样式也节省了更多制造材料，并创造出一个更轻盈的外观效果。KF 40咖啡机有着永不过时的美学设计及改良的功能，因此行业内出现了许多仿制品。

同系列产品还包括KF 45（1984）。

Yogurtera YG-1酸奶机，1984年　　　　12.5厘米 × 21厘米 × 21厘米　　　　塑料
迪特·拉姆斯，路德维希·利特曼　　　0.7千克　　　　　　　　　　　　　价格未知
博朗·埃斯帕尼奥拉公司

这款酸奶机主要是由博朗·埃斯帕尼奥
拉公司的工程部门设计的，只在西班牙
市场销售。从设计形式来说，那些大号
的圆形白色酸奶瓶盖在视觉上将这些小
酸奶瓶与酸奶机完美地整合到了一起。

一款咖啡机的原型机，1985年
迪特·拉姆斯，于尔根·格雷贝尔
博朗公司

30.5厘米 × 32.5厘米 × 18厘米
5千克

塑料、亚克力
未出售

这款咖啡机的原型机与哈特维格·卡尔
克设计的KF 40产品（第300页）相比，
设计更传统。咖啡机的左边是一个储水
罐，右边是水壶和过滤器。左右两部分
用一根醒目的红色管子相连，从而形成
了一种既复杂又抽象的外观。这款咖啡
机最初计划的安装方式是用支架将其固
定在墙面上。

AB 46 24h闹钟，1985年
迪特里希·卢布斯，迪特·拉姆斯
博朗公司

9厘米 × 7.5厘米 × 3.5厘米
0.1千克

塑料、亚克力
62.50 德国马克

这款闹钟的设计特点是顶部有一个大开
关按钮和一个24小时计时法的闹钟设置
功能。

850会议桌方案，1986年
迪特·拉姆斯
维瑟公司/科隆sdr+家具公司

多种尺寸和重量

层压细木工板、铝材
909～2126 德国马克

这款长条会议桌的桌面可以拼成矩形，
也可以拼成椭圆形。为了便于运输，整
张桌面被切分成了几块拼装板。桌子下
的铝制支腿都朝着桌子的中心靠拢，这
个结构设计可以使人们坐得更舒服些，
而不会经常被桌腿绊到。不过，为了让
桌子足够稳定，桌腿里面填充了金属刨
花废料。这款创新设计会议桌，最初是
由维瑟公司生产的，之后交由科隆sdr+
家具公司生产，其他的家具制造商后来
也生产。事实上，sdr+公司后来在没有
征得拉姆斯同意的情况下便擅自更改了
桌腿设计，这件事使设计师与该公司关
系变得疏远。

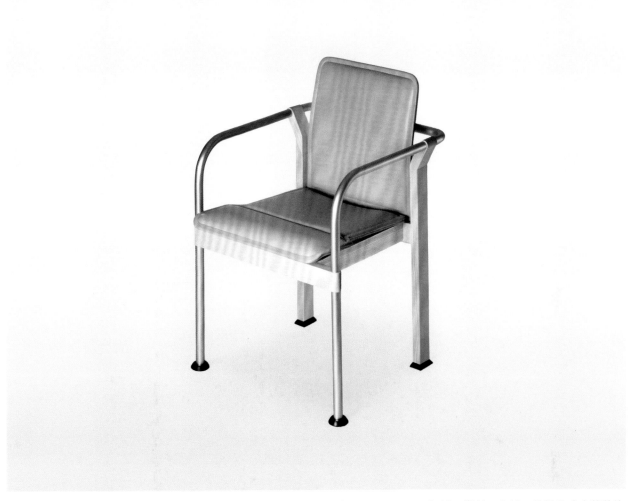

862扶手椅，1986年
迪特·拉姆斯，于尔根·格雷贝尔
维瑟公司

82厘米 × 64厘米 × 60厘米
9千克

铝材、塑料、木材、纺织品或皮革装饰
1427～1740德国马克（1988年起的价格）

这款862扶手椅包含弯曲的金属管结构，
它构成了椅子的前腿、扶手和靠背支
架，还包含一个白蜡木材质的后腿，以
及位于椅子正前方的一个木制横梁。软
垫座椅和靠背部分被装配在椅子的中间
位置。而这款扶手椅的另一个版本则提
供了更宽的皮革软垫。这款椅子专门用
于搭配850会议桌（上页）。为了提供
舒适的座位体验，设计师还特别关注了
椅子的人体工程学设计。

exact universal胡须修剪器，1986年
罗兰·乌尔曼
博朗公司

16厘米 × 4厘米 × 3厘米
0.17千克

塑料
139 德国马克

这款由罗兰·乌尔曼设计的exact universal
胡须修剪器凭借其干净的矩形形状、技术
上和视觉上始终不过时的设计，直至今日
依然受到人们的喜爱。

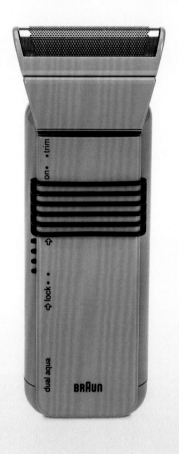

dual aqua剃须刀初步设计方案，
约1986年
迪特·拉姆斯，罗兰·乌尔曼
博朗公司

13.3厘米 × 5厘米 × 2.6厘米
0.16千克

塑料
未出售

由于博朗产品在日本的销售越来越成功，于是20世纪80年代中期博朗公司开始积极设计专门针对日本市场的电动剃须刀产品。在这款剃须刀设计中，电机被安装在一个狭窄的塑料外壳内，外壳则采用了将少量灰色与黑色相结合的配色方案。但在早期阶段的消费者测试中，该设计款式并没有受到目标市场男性消费者的欢迎。不过，后来博朗公司发现将这款纤细的设计款式应用在"Lady Braun style"型号的女式剃毛刀（第315页）上则非常成功。这款产品取名为"双重的水（dual aqua）"，意思是它可以用流动的自来水冲洗。

PDC silencio 1200旅行套装旅行吹风机
及其配件，1986年
罗伯特·奥伯海姆
博朗公司

16厘米 × 15厘米 × 7厘米
0.35千克

塑料
63.50 德国马克

为了迎合那些注重梳洗整洁的旅行者，
这套silencio 1200旅行套装设计了许多
不同的单元组件，包括一个吹风机、一
个电熨斗、一瓶喷雾和一个可以用来烘
干衣服的塑料袋。这说明全球旅行在那
个年代是相当艰苦的，并且曾经对大多
数人而言也是非常新鲜的事物。如今，
几乎每家酒店的浴室里都配有吹风机，
而且现在的吹风机手柄或多或少都模仿
了博朗公司经典的前倾式设计。

AB 1闹钟，1987年   6.3厘米 × 6.3厘米 × 3.7厘米   塑料

迪特里希·卢布斯   0.04千克   24.95 德国马克

博朗公司

这款小巧低价的闹钟采用极简主义设计。它只有一个窄盒子，正面几乎都是时钟表盘。在这里，简洁清晰的博朗标志性设计风格得到完美展现：白色的时针和分针与白色的数字相搭配，黄色的超细秒针映衬在黑色的背景下。在整个时钟表盘上只有一个博朗公司标志，而机身外壳上没有其他任何标志，博朗公司的闹钟样式非常独特，已经不再需要额外的标识了。博朗公司所有的指针式闹钟都使用了同一首低调的闹铃音乐，那些训练有素的耳朵听后可以立即辨识出来。

ST 1 solar card信用卡大小的袖珍计算器，
1987年
迪特里希·卢布斯
博朗公司

5.5厘米 × 8.5厘米 × 0.3厘米
0.02千克

塑料
29.95 德国马克

据迪特里希·卢布斯说，他当时是在酒
店房间的床边匆匆画出了这款超薄袖珍
计算器的设计图。当时这家中国制造商
很着急，想要马上看到他的设计方案。
ST 1 solar card的产品技术和整体形式借鉴
了已有的博朗产品，但是经过了一些设
计调整以便使它能够适应这个新的信用
卡大小的结构布局，同时也使它能够有
别于以前的计算器产品。

ET 66 control袖珍计算器，1987年
迪特里希·卢布斯，迪特·拉姆斯
博朗公司

13.7厘米 × 7.7厘米 × 1.3厘米
0.09千克

塑料、亚克力
59.50 德国马克

在所有博朗计算器中，ET 66 control计算器的设计结构是最均衡的，也是价格最便宜的。在这款计算器中，先前ET 55计算器（第288页）上的滑动开关被去掉了，从而减少了计算器表面的装饰物，只留下了嵌入式的显示屏和扁平的按钮。计算器按钮的配色方案也得到了改进：数字按钮为黑色，算术运算按钮为棕色，记忆功能按钮为深绿色。此外，再加上绿色和红色的开关按钮，以及引人注目的黄色等按钮，使这款产品的整体配色效果得到了提升。这个配色方案刻意将蓝色排除在外，因为拉姆斯和迪特里希·卢布斯认为使用3种原色配色会使产品过于鲜艳了。

为向当代设计师标志性的创意设计致敬，乔纳森·伊夫（Jonathan Ive）以ET 66计算器为蓝本，设计了苹果手机iPhone上的首款计算器APP的外观样式。自2013年起，ET 66产品由英国的瑞翁（Zeon）公司以博朗品牌进行销售，产品型号为BNE001BK。

rgs 1（fsb 1138）门把手的方案，
1987—1988年
迪特·拉姆斯
德国福适博（FSB）公司

4厘米 × 14.2厘米 × 6.4厘米
0.17千克

压铸铝、热塑性塑料
每对135 德国马克

即使门把手这样看似简单的东西也会给设计师带来极大的挑战。1986年，德国制造商福适博公司举办了一次设计比赛，邀请了9位著名建筑师和设计师参加，他们是汉斯·乌尔里希·比奇（Hans Ulrich Bitsch）、马里奥·博塔（Mario Botta）、彼得·艾森曼（Peter Eisenman）、林昌二（Shoji Hayashi）、汉斯·霍林（Hans Hollein）、矶崎新（Arata Isozaki）、亚历山德罗·门迪尼（Alessandro Mendini）、迪特·拉姆斯和彼得·图恩尼（Petr Tucny）。拉姆斯提交的设计方案包括了3个实用且具有语义吸引力的设计作品，这几款产品由福适博公司一直生产到了20世纪末才停产。而这款rgs 1［字母"rgs"是"Rams（拉姆斯）""grey（灰色）""black（黑色）"的德语首字母缩写］门把手是其中最成功的产品。这款门把手上突出的银色圆圈是最重要的设计元素，它象征着旋转，即门把手的基本功能。

在铝制的门把手手柄部分，前后都衬有热塑性塑料，使门把手手柄有了舒适的贴合感。而在手柄底部的凹口，则为握住门把手的食指提供了一个自然的贴合位置，使门把手可以被牢牢握住。在竞赛结束之后，拉姆斯将他的门把手方案扩展到了总共27款设计作品。除了前3种门把手型号之外，他还设计了包括窗把手、锁孔盖、标识、一些定制产品、一个橱柜把手和一个门挡。1996年，建筑师克里斯托夫·英格霍温（Christoph Ingenhoven）在德国埃森市（Essen）选用rgs 1门把手安装了他那著名的127米、有30层楼高的RWE高塔。

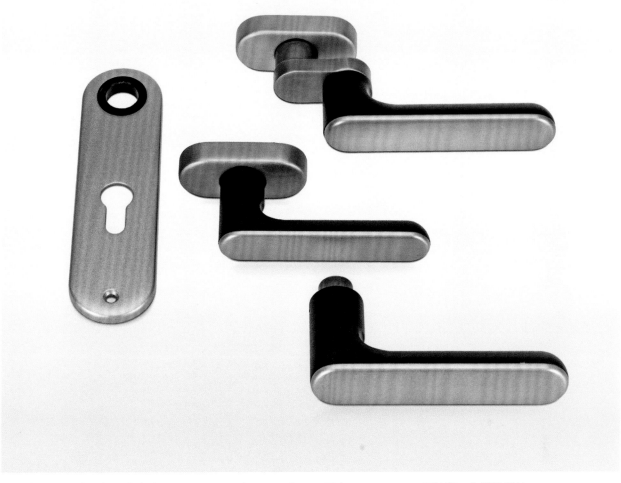

rgs 2（fsb 1136）门把手的方案，
1987—1988年
迪特·拉姆斯，安吉拉·诺普
（Angela Knoop）
德国福适博公司

2.8厘米 × 13厘米 × 6.5厘米
0.18千克

压铸铝、热塑性塑料
每对110德国马克

拉姆斯设计的第二款门把手rgs 2是他
与安吉拉·诺普联合创作的，后者曾在
福适博公司的设计车间与拉姆斯一起工
作。诺普设计了门把手的基本形状，而
拉姆斯则负责细节部分的设计，他在手
柄头部背面增加了一个巧妙的可以放置
食指的凹口。

rgs 3（fsb 1137）门把手的方案，
1987—1988年
迪特·拉姆斯，安吉拉·诺普
德国福适博公司

拉姆斯创作的第三款门把手是一个优雅
弯曲的"U"形件。与前面几款产品一
样，它也是由铝材和黑色热塑性塑料制
成的。在手柄内侧的尾部还增加了一个
小凹槽，可以放小指。

2.8厘米 × 14厘米 × 6.5厘米
0.19千克

压铸铝、热塑性塑料
每对110 德国马克

Lady Braun style女式剃毛刀，1988年　　15.5厘米 × 5.5厘米 × 2.7厘米　　塑料
罗兰·乌尔曼　　　　　　　　　　　0.4千克　　　　　　　　　　　　89 德国马克
博朗公司

这款电动剃毛刀是专为女性设计的。它
较窄的电机部分和电池仓都被放在剃毛
刀的手柄上。

一款柱状钟表的原型品
迪特·拉姆斯，迪特里希·卢布斯
法兰克福美丽城市促进会
（Förderverein Schöneres Frankfurt e.V.）

37.4厘米 × 8.8厘米 × 7.7厘米
0.7千克

塑料、金属
未出售

法兰克福美丽城市促进会是由法兰克福市民于1977年建立的旨在美化城市的社团。在法兰克福应用艺术博物馆的馆长沃尔克·菲舍尔（Volker Fischer）和设计师马蒂亚斯·迪茨（Matthias Dietz）的支持下，该协会于1988年举办了一场比赛，旨在设计一系列可安装在城市公共空间中的柱式钟表。当时，共有23位建筑师、设计师和雕塑家应邀参加了这场比赛，其中包括了沃尔克·阿伯思（Volker Albus）、康斯坦丁·格里奇（Konstantin Grcic）、赫伯特·林丁格尔、米歇尔·德卢奇（Michele De Lucchi）、马丁·斯凯利（Martin Székély）、汉内斯·韦特斯坦（Hannes Wettstein），当然还有迪特·拉姆斯。

拉姆斯与迪特里希·卢布斯合作设计了一款三面一体式塔钟，塔钟的表面覆以银色、深灰色或黑色的钢板，每个侧面都有一个指针样的钟表盘，钟表盘的设计是基于以前的博朗钟表式样。此外，他们还提出了一个太阳能时钟的设计方案。最终，马丁·斯凯利和汉内斯·韦特斯坦赢得了这场比赛，因此拉姆斯和卢布斯的这款设计方案也就未能实施。

AW 10腕表，1989年
迪特里希 · 卢布斯
博朗公司

0.65厘米 × 3.3厘米（直径）
0.02千克

塑料、金属、铝、亚克力、皮革
130 德国马克

继20世纪70年代末拉姆斯推出首款数字手表DW 20（第240页）和DW 30（第252页）之后，迪特里希 · 卢布斯也开始设计了一款指针式手表，其设计超越了以往的腕表型号。AW 10腕表也体现了博朗特色的图形纯粹主义，圆表盘最外圈的塑料边框具有防护作用，可以防止衬衫袖口和裤子口袋对腕表造成磨损和划痕。

这款指针式手表是给博朗的销售团队设计的，他们之前曾将博朗标志应用到已有的几款腕表上，作为促销礼品送给客户。

这个设计的挑战在于既要创造出符合博朗高审美价值的产品，同时还要提供一个完美的品牌宣传机会。这款AW 10的设计启发了一系列高品质的博朗指针式腕表的诞生。

同系列产品还包括AW 15（1994）。

吉列Sensor剃须刀，1989年
迪特·拉姆斯，于尔根·格雷贝尔
吉列公司

13厘米 × 4厘米 × 2.2厘米
0.03千克

金属涂层塑料、金属
3.75 美元

20世纪80年代末，吉列公司开发了一款
开创性的新型剃须刀刀片系统，并委托
博朗设计团队为它设计配套的剃须刀手
柄。这款剃须刀的塑料手柄上镀着一层
薄薄的银色金属，手柄两侧还带有隆起
的黑色塑料横纹以增强抓握力，这种设
计样式非常富有特色，并创造出了一种
类似于博朗micron型号剃须刀系列（第
265页）的设计效果。为了推销这款新产
品，吉列公司需要制定一个主品牌战略，
并相继投资了2亿美元用于市场开发和广
告宣传。1990年，这款剃须刀在美国最
昂贵的广告活动，即第二十四届"超级
碗（Super Bowl）"橄榄球赛上大放异彩。
而它也获得了相应的高额回报：这款博
朗设计的Sensor型号剃须成为世界上最
成功的剃须刀，它在发布后的6个月内就
销售了2100万把。

1990—2020

ΛBR 313 sl闹钟收音机，1990年
迪特里希·卢布斯
博朗公司

7厘米×15.5厘米×2.4厘米
0.2千克

塑料、亚克力
119 德国马克

这款小型旅行闹钟收音机采用了经典的
博朗钟表盘式样，但设计师对其宽度
进行了横向拉长，使它容纳下了钟表盘
右侧的扬声器和钟表盘左侧的斜面侧面
板。在它左侧的斜面侧面板上设置的是
调谐拨钮和音量调节拨钮。

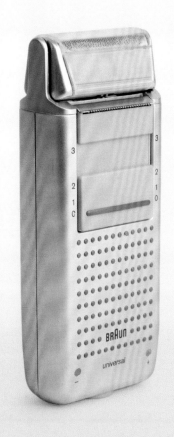

flex control 4515，1990年/ 4520 universal
电动剃须刀，1990年（如图所示）
罗兰·乌尔曼

博朗公司
13厘米 × 5.2厘米 × 2.7厘米
0.3千克

塑料或铝材、金属
289 德国马克

flex control 4515剃须刀是由罗兰·乌尔曼
与博朗公司技术人员合作设计的，其
可旋转的双铝箔刀头可根据人脸轮廓
进行曲度调整，在剃须时能够与脸部
贴合更好，这是它的特色。在它的外
壳上带有饰钉装饰的、充满触感的抓握
面则借鉴了micron型号剃须刀系列产品
（第265页）。

同系列产品还包括flex control 4550
universal cc（1991）。

AW 50腕表，1991年
迪特·拉姆斯，迪特里希·卢布斯
博朗公司

4.5厘米 × 0.5厘米 × 3.2厘米（直径）
0.04千克

金属、铝材、亚克力、皮革
375 德国马克

虽然博朗公司的腕表主要是由迪特里
希·卢布斯设计的，但是在这一款特别
型号的腕表设计中，拉姆斯是直接参与
者。AW 50沿用了AW 10腕表（第317页）
的基本形状，但其表面则是全部由金属
材料制成的，它最外圈的的圆形边框也
是金属材料。设计师们还在这款腕表中
增加了一个显示日期的小窗口。

ET 88 world traveller袖珍计算器，1991年　13.7厘米 × 7.7厘米 × 1.1厘米　　塑料、亚克力
迪特里希·卢布斯，迪特·拉姆斯　　0.1千克　　　　　　　　　　119 德国马克
博朗公司

这是博朗公司设计的最后一款袖珍计算
器，适用于旅行使用，因此带有一个数
字时钟和世界时间显示功能。这款计算
器配有一个铰链翻盖，盖板收起时有保
护屏幕的作用。盖板内侧印有一张世界
地图。该地图与博朗公司所有旅行闹钟
上印刷的地图一样，也是用法兰克福而
非柏林标记德国的地理位置。在使用这
个计算器时，也可以将盖板向后翻折，
从而把计算器支撑起来。当时，要不是
博朗公司的工程师们非常积极地参与了
这个盖板的设计开发，这款计算器可能
就在远东地区生产了。

DB 10 sl闹钟，1991年
迪特里希·卢布斯，迪特·拉姆斯
博朗公司

9.5厘米 × 8厘米 × 8.5厘米
0.16千克

塑料、亚克力
179 德国马克（DB 10 fsl型号）

这款闹钟是侧面为直角三角形的三棱柱式样。闹钟正面分为上部的数字显示屏和下部的控制按键盘。闹钟的每个功能都对应单独的控制按钮，这样其操作就变得非常简单明了。在不使用闹钟时，铰链翻盖的盖板可以保护控制键盘，而且盖板内侧还印有产品操作说明。这款外形新奇的闹钟有数字石英钟和自动计时的电波钟（radio-controlled）两种款式。而后来开发的DB 12 fsl型号闹钟还带有温度显示功能。

同系列产品还包括DB 10 fsl（1991）、
DB 12 fsl temperature（1996）。

RI la 1/2台灯，1998年
迪特·拉姆斯，安德烈亚斯·哈克巴特
（Andreas Hackbarth）
Tecnolumen灯具公司

灯杆：64.5厘米 × 63厘米 ×（1.2 ~ 1.4）
厘米（根据直径测量宽度）
玻璃灯罩：8厘米 × 10.7厘米（根据直
径测量宽度）
轨道：12厘米 × 70厘米 × 16.5厘米
包含变压器的总重量：4千克

铝材、钢材、塑料
567 ~ 764 德国马克

1981年，安德烈亚斯·哈克巴特在汉堡
美术大学跟拉姆斯学习，他以台灯为主
题写了毕业论文。次年，他在博朗公司
工作期间，与拉姆斯合作开发了一款台
灯原型品，并最终成为这款RHa 1/2台
灯。这款台灯由一个U形底座支撑，底
座固定在两根可以悬挂在桌沿的不锈钢
横杆上，而台灯杆可以沿着这两根横杆
来回移动。台灯的这个U形底座既是可
移动的灯杆支架，同时也容纳了台灯的
变压器和电源开关。台灯杆上部的水平
横杆部分可以旋转180°，用于调整灯头
的照射方向。在另一款型号中，这个U
形底座还可以直接安装在桌子上。

1995年，这款设计产品被发表在拉姆斯
的著作《更少，但要更好》（Weniger,
aber besser）中，引起了德国灯具制造
商Tecnolumen公司的兴趣。后来，经
过拉姆斯、哈克巴特及公司照明工程师
的进一步改造，这款台灯在1998年4月
意大利米兰举办的国际灯具展上展出。

德国2000年汉诺威世博会礼品碗，
1998年
迪特·拉姆斯
德国福斯坦堡（Fürstenberg）公司/
德国福适博公司

13.2厘米 × 7.5/21厘米（根据直径测量
宽度）
1.72千克

瓷器、金属、木材
未出售

在2000年德国汉诺威世博会上，拉姆斯设计了一款限量版礼品碗，它是由主办方作为礼物送给所有参展国家的。这套礼品碗由3个嵌套的瓷碗和一个约有1/4半球形的不锈钢碗托架组成。套碗最下面的堆叠起来的圆柱形底座由陶瓷、枫木和金属材质的小圆垫组成。拉姆斯选择这些小圆垫来表现"人类、自然、科技，创造新世界"的世博会口号。最外层的半球形瓷碗呈青棕色，代表地球；内侧的黑色和白色瓷碗，代表人类的多样性；而金属材质的碗托架则象征科技。

这套碗具分两部分生产，福斯坦堡公司生产了瓷器部分的组件，而德国福适博公司则负责生产金属部分的组件。这款礼品碗只生产了250套。

4000 RA 98堆叠椅，1998年
迪特·拉姆斯
德国Kusch+Co座椅制造公司

83厘米 × 53厘米 × 65厘米
7~8.5千克

镀铬管状钢、粉末涂层铝、天然或染色
山毛榉、织物内饰（可选）
488~950 德国马克

4000 RA 98堆叠椅采用了符合人体工程
学设计的架构，座椅板的铸铁框架连接
四根钢管腿。拉姆斯最初想用压铸铝材
料制作椅子的前腿（如图所示）。但是，
产品制造商选择了成本更低的钢材。这
款椅子只少量生产。

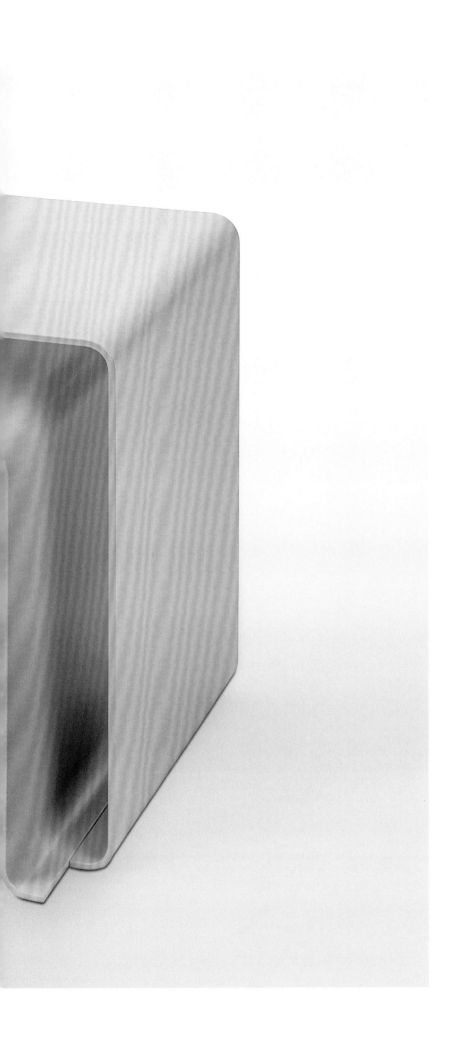

Nesting table programme 010嵌套桌方案，2001年
迪特·拉姆斯，托马斯·默克尔
（Thomas Merkel）
科隆sdr+家具公司

大号：40厘米×54.5厘米×36厘米
小号：33.5厘米×41.5厘米×36厘米
大号：6千克
小号：5千克

粉末涂层铝
大号：200.68～307.40 德国马克
小号：189.08～266.00 德国马克（2002年起的价格）

这款嵌套桌是用5毫米厚的铝材制成的。在这套桌子的底脚部分，小桌是以90°角朝外弯折的，而大桌则是以90°角朝内弯折，这样这两张桌子就可以完美地组合在一起了。当两个桌子嵌套在一起时，它们上下层之间的空隙可以用来存放报纸和杂志。在另一款加长版的设计方案中，矮的小桌还可以用作长条椅，还搭配了相应的座椅毡垫。这套嵌套桌是作为1962年621型号桌子（第97页）的替代品开发的，621型号的模具成本很高，所以sdr+家具公司不想再重新销售它了。

Tsatsas 931女士手提包，2018年 17厘米 × 24.5厘米 × 6.5厘米 小牛皮和羊皮
迪特·拉姆斯 0.47千克 900 欧元（2020年起的价格）
Tsatsas公司（德国皮具公司）

2018年，德国法兰克福的小型皮具品牌
Tsatsas发布了拉姆斯于20世纪60年代
设计的一款手提包。拉姆斯以前通过为
博朗剃须刀和其他小家电产品设计皮套
的机会，得以与奥芬巴赫（Offenbach）
当地的一家皮包制作公司建立了联系。
不过，公司当时未计划大规模生产，只
是作为拉姆斯专门为妻子英格博格和一
些密友提供的礼物。从这里可以看出，
即使为私人项目做设计，并且在产品经
验较少的情况下，拉姆斯对于材料和工
艺的质量也是极为关注的。

606壁挂式桌子，2020年
迪特·拉姆斯
维瑟公司

73.5/104厘米 ×（120～180）厘米 ×
65.5/90厘米
多种重量

胶合板
尚未提供定价

2018年，拉姆斯重新设计了606通用搁架系统（第65—69页）中的壁挂式桌子。这款木质桌没有采用整体层压技术制造的板材，而是采用了分层层压技术制造的板材，并在桌子侧边将其材质特色显露了出来，这种侧边的材料肌理与白色或黑色的桌板表面刚好构成了一组令人愉快的视觉对比。这款桌子的前边缘和两个侧边都做了斜切处理，外观优雅。

迪特·拉姆斯生平

1932年5月20日
出生在德国威斯巴登。他早期的家具制作经验来自于祖父对他的影响，他的祖父是一位木工大师。

1947年4月9日—9月30日
开始在威斯巴登艺术学院（Kunstgewereschule Wiesbaden）学习建筑和室内设计。

1947年9月
学习中断，开始在家具制造厂当学徒；获得了技工资质；在职业学院期间遇见了格德·穆勒。1951年11月，凭借为一个餐厅设计的餐边柜而赢得了"地区手工艺竞赛"大奖。

1951年10月
于威斯巴登艺术学院复读，当时该学院已被汉斯·索德博士改为了应用艺术学院。

1953年7月
凭借为银行大厅所做的设计方案而获得"荣誉毕业生"称号。

1953年10月—1955年7月
在法兰克福的奥托·阿佩尔建筑事务所工作；与美国著名的SOM建筑设计事务所合作，在法兰克福和不来梅建造美国领事馆大楼。

1955年7月15日
受雇于法兰克福的马克斯·博朗无限贸易公司（Max Braun OHG），担任室内设计师。

1956年初
以产品设计师的身份创作了第一批设计作品（PA 1，以及与汉斯·古格洛特合作的SK 4）

1956年
设计了第一批家具，遇见了奥托·扎普夫。

1957年7—9月
在1957年柏林国际建筑展中展出了许多新颖的博朗设备（尤其是SK 4）。

1957年7—11月
在第11届米兰三年展上，参展的全部博朗产品系列（包括SK 1/2、Exporter 2、PA 1、SK 4和transistor 1）都赢得了"Grand Prix award"大奖。

1958年4—10月
在布鲁塞尔举行的第58届世界博览会上展示了16款博朗新设备。

1958年12月—1959年2月
纽约现代艺术博物馆（MoMA）的永久藏品中增加了由迪特·拉姆斯与汉斯·古格洛特和格德·穆勒合作设计的5件博朗电器（SK 5、transistor 2、PA 2、KM 3和T 3），这些产品参加了20世纪博物馆收藏展主题展览。

1959年
维瑟与扎普夫伙伴公司于1959年成立，是一家合法注册的家具生产和销售公司，专门生产由迪特·拉姆斯设计的家具。

1960年
被德国联邦工业协会授予德国文化研究奖金。

1961年
被博朗公司任命为产品设计部的负责人。

1961年和1963年
因产品TP 1（1961年授予）和F 21（1963年授予）而获得伦敦Interpos展览最高奖。

1965年
与赖因霍尔德·韦斯、理查德·菲舍尔和罗伯特·奥伯海姆一起获得了柏林青年一代工业设计艺术奖。

1968年
被任命为博朗股份公司的产品设计总监。

1968年6月
因其在家具领域和科技产品领域的杰出设计贡献而被伦敦皇家艺术学会授予"皇家工业荣誉设计师"称号。

1971年4月
成为伦敦皇家艺术学会会员。

1973年10月
在日本京都举行的国际工业设计学会理事会（ICSID）大会上，与弗里茨·艾希勒和沃尔夫冈·施密特一起介绍了博朗公司的设计理念。

1977年9月
成为德国设计委员会执行委员会成员。

1978年1月
被伦敦工业艺术家和设计师协会授予SIAD奖章。

1980年11月28日
在柏林国际设计中心（IDZ）举办的"设计：迪特·拉姆斯"主题展览开幕，此后的巡展地点还有：1981年，卢布尔雅那（Ljubljana）的工业设计双年展；1981年，赫尔辛基安徒生艺术博物馆；1981年，米兰当代艺术博物馆；1982年，伦敦维多利亚和阿尔伯特博物馆；1982年，阿姆斯特丹斯特德里克（Stedelijk）博物馆；1983年，科隆装饰艺术博物馆。

1981年11月7日
被聘为汉堡美术大学的工业设计系教授。

1983年10月—1984年1月
参与了费城艺术博物馆举办的"自1945年以来的设计"主题展览。

1984年
米兰的德·帕多华家具公司生产了铝合金版本的606通用搁架系统。

1985年
被墨西哥城的墨西哥研究院授予荣誉外籍院士称号。

1986年
被多伦多安大略艺术学院授予国际荣誉教师称号。

1987年11月
被德国工业设计师协会授予荣誉会员称号。

1987—1998年
担任德国设计委员会主席，自2002年起成为荣誉会员。

1988年
被任命为博朗股份公司执行总监。

1989年
博朗公司设计部门被埃森市的工业协会评为年度最佳设计团队。

1989年4—6月
参与了在美国劳德代尔堡（Fort Lauderdale）艺术博物馆的"美好的办公室：第七届阿朗戈国际设计展"主题展览，并举办了"迪特·拉姆斯回顾展"主题展览。此后的巡展地点还有：1990年，加利福尼亚州帕萨迪纳市（Pasadena）的艺术中心设计学院；1990年，蒙特利尔装饰艺术博物馆。

1990年8月
因在设计方面做出的特殊贡献，成为该年度iF设计奖排名第一人。

1991年7月5日
被伦敦皇家艺术学院授予荣誉博士学位。

1992年
获得宜家设计奖，并用这笔奖金建立了迪特·拉姆斯和英格博格·拉姆斯基金会，用于推动设计发展。

1993—1995年
成为国际工业设计学会理事会（ICSID）执行委员会成员。

1995年
由博朗股份公司的产品设计总监变为企业形象事务执行总监。

1996年
被美国工业设计师协会授予世界设计奖章。

1997年6月
被授予黑森州（Hessian）荣誉勋章。

1997年
从博朗股份公司退休。

1997年
担任汉堡美术大学名誉教授。

1999年5月
被任命为柏林艺术学院的教学成员。

2001年5—8月
"事物的秩序"主题展览在瑞典隆德（Lund）的斯基瑟纳斯（Skissernas）博物馆开幕。

2001年9—11月
"迪特·拉姆斯之家"主题展览在葡萄牙里斯本展览中心开幕。

2002年10—11月
"迪特·拉姆斯设计：简单的魅力"主题展

览在达姆施塔特（Darmstadt）的新技术学院开幕，此后的巡展地点还有不来梅的威廉·瓦根菲尔德（Wilhelm Wagenfeld）大厦。

2002年10月
被授予德意志联邦共和国功勋"联邦十字勋章"。

2002年10月—2003年1月
"迪特·拉姆斯——更少，但要更好"主题展览在法兰克福应用艺术博物馆开幕。

2004年6月
因对工业设计和世界文化的杰出贡献，被哈瓦那市（Havana）授予ONDI设计奖。

2005年9—10月
"迪特·拉姆斯——更少，但要更好"主题展览在日本京都禅宗的建仁（Kenninji）寺开幕

2005年10月
获得阿根廷首都布宜诺斯艾利斯市的拉丁美洲设计协会颁发的"认证荣誉"（表彰他对拉丁美洲设计发展做出了重大贡献的奖项）。因与于尔根·格雷贝尔共同设计的MPZ 22 citromatic deluxe柑橘类水果榨汁机，二人一起获得了Busse耐用设计大奖。

2007年2月
因其毕生的工作而获得了德意志联邦共和国设计奖。

2007年5—7月
"设计：迪特·拉姆斯"主题展览在莫斯科库斯科沃庄园（Kuskovo Estate）国家陶瓷博物馆开幕。

2007年11月
获得雷蒙德·洛伊（Raymond Loewy）基金会的"幸运一击设计师奖"。

2008年11月—2009年1月
"少与多——迪特·拉姆斯的设计精神"主题展览在大阪三得利博物馆开幕。此后的巡展地点还有：2009年，东京都府中市艺术博物馆；2009—2010年，伦敦设计博物馆；2010年，法兰克福艺术博物馆；2010—2011年，首尔大林博物馆；2011—2012年，旧金山现代艺术博物馆。

2010年5月
获得科隆国际设计学院（KISD）的"Kölner Klopfer"大奖。

2011年11月
与冈拉赫（FC. Gundlach）教授和冈特·兰堡（Gunter Rambow）教授一起获得黑森州文化奖。

2012年7月
担任慕尼黑工业大学特聘教授。

2012年11月
获得布达佩斯莫霍利·纳吉艺术与设计大学的"莫霍利·纳吉奖"。

2013年4月
获得加州帕萨迪纳市艺术中心设计学院的荣誉艺术博士学位。

2013年9月
获得伦敦设计奖章终身成就奖。

2014年5月
被米兰工业设计协会授予终身成就奖。

2016年11月—2017年3月
"迪特·拉姆斯：模块化世界"主题展览在莱茵河畔的魏尔（Weil）地区维特拉设计博物馆开幕。

2018年9月
人物纪录片《拉姆斯》（Rams）（74分钟）在纽约SVA剧院首映，由加里·赫斯特（Gary Hustwit）担任制片和导演，由布莱恩·埃诺（Brian Eno）制作了原创音乐。

2018年11月—2019年4月
"迪特·拉姆斯：有原则的设计"主题展览在费城艺术博物馆开幕。

编辑资料来源注释：
尽管无法提供任何法律保证，但作者已倾尽全力根据所掌握的信息资料汇编了关于这些产品的所有技术和形式资料。

书中内容反映的是作者本人的观点，根据大量的档案资料和访谈总结而来，并与迪特·拉姆斯本人进行了深入讨论。

博朗设备的信息和年代分类是基于收藏家杂志《设计+设计》和乔·克拉特（Jo Klatt）和甘特·斯塔弗勒（Günter Staeffler）合著的《博朗设计合集——40年的博朗设计（1955—1995）》（1995年，汉堡，第2版）所提供的产品信息。后按一些新发现的资料进行了补充或修正。

书中涉及的大多数产品尺寸都是经过重新测量的。在无法实地测量时，这些测量数据则是来源于《少与多：迪特·拉姆斯的设计精神》（Less and More: The Design Ethos of Dieter Rams）（柏林，2009年）、公司目录和其他一些资料。

1962—1995年发行的博朗员工杂志《博朗经营明镜》（Betriebsspiegel）也被作为产品尺寸测量和销售价格的参考资料。

安德烈亚斯·库格尔（Andreas Kugel）拍摄的书中产品照片由法兰克福的应用艺术博物馆、克伦伯格的博朗收藏馆、迪特·拉姆斯本人和一些私人收藏家提供。在下一页的"图片来源"中列出了更多的图片来源信息。

关于博朗公司和维瑟公司的产品价格，德国马克（DM）的原始售价选自于各家公司当时的销售目录和杂志《博朗+设计》（汉堡，2017年第9版）中的缴税清单，以及从瑞士无线电博物馆网站（radiomuseum.org）的检索结果。正如该网站所示，它给出的是都是更近期的产品价格。因此，所有产品的原

始零售价是无法精准确定的。在撰写本书时，1德国马克可兑换0.51欧元、0.46英镑、0.57美元。

作者已尽一切努力寻找了所有其他拥有图像复制权的人。若还有尚未联系到的个人和机构，以及声称对任何本书所使用的图像拥有版权者，请与出版商联系。